사고력 수학 소마가 개발한 연산학습의 새 기준!!
소마의 **마**술같은 원리**셈**

소마 셈

B4
2학년

수학이 즐거워지는 특별한 수학교실
소마에서 개발한 연산교재 소마셈 **소마셈**

2002년 대치소마 개원 이후로 끊임없는 교재 연구와 교구의 개발은 소마의 자랑이자 자부심입니다. 교구, 게임, 토론 등의 다양한 활동식 수업으로 스스로 문제해결능력을 키우고, 아이들이 수학에 대한 흥미와 자신감을 가질 수 있도록 차별성 있는 수업을 해 온 소마에서 연산 학습의 새로운 패러다임을 제시합니다.

연산 교육의 현실

연산 교육의 가장 큰 폐해는 '초등 고학년 때 연산이 빠르지 않으면 고생한다.'는 기존 연산 학습지의 왜곡된 마케팅으로 인해 단순 반복을 통한 기계적 연산을 강조하는 것입니다. 하지만, 기계적 반복을 위주로 하는 연산은 개념과 원리가 빠진 연산 학습으로써 아이들이 수학을 싫어하게 만들 뿐 아니라 사고의 확장을 막는 학습방법입니다.

초등수학 교과과정과 연산

초등교육과정에서는 문자와 기호를 사용하지 않고 말로 풀어서 연산의 개념과 원리를 설명하다가 중등교육과정부터 문자와 기호를 사용합니다. 교과서를 살펴보면 모든 연산의 도입에 원리가 잘 설명되어 있습니다. 요즘 현실에서는 연산의 원리를 묻는 서술형 문제도 많이 출제되고 있는데 연산은 연습이 우선이라는 인식이 아직도 지배적입니다.

연산 학습은 어떻게?

연산 교육은 별도로 떼어내어 추상적인 숫자나 기호만 가지고 다뤄서는 절대로 안됩니다. 구체물을 가지고 생각하고 이해한 후, 연산 연습을 하는 것이 필요합니다. 또한, 속도보다 정확성을 위주로 학습하여 실수를 극복할 수 있는 좋은 습관을 갖추는 데에 초점을 맞춰야 합니다.

소마샘 연산학습 방법

 10이 넘는 한 자리 덧셈 | **구체물을 통한 개념의 이해**

덧셈과 뺄셈의 기본은 수를 세는 데에 있습니다. 8+4는 8에서 1씩 4번을 더 센 것이라는 개념이 중요합니다. 10의 보수를 이용한 받아 올림을 생각하면 8+4는 (8+2)+2지만 연산 공부를 시작할 때에는 덧셈의 기본 개념에 충실한 것이 좋습니다. 이 책은 구체물을 통해 개념을 이해할 수 있도록 구체적인 예를 든 연산 문제로 구성하였습니다.

 가로셈 | **가로셈을 통한 수에 대한 사고력 기르기**

세로셈이 잘못된 방법은 아니지만 연산의 원리는 잊고 받아 올림한 숫자는 어디에 적어야 하는지만을 기억하여 마치 공식처럼 풀게 합니다. 기계적으로 반복하는 연습은 생각없이 연산을 하게 만듭니다. 가로셈을 통해 원리를 생각하고 수를 쪼개고 붙이는 등의 과정에서 키워질 수 있는 수에 대한 사고력도 매우 중요합니다.

 곱셈구구 | **곱셈도 개념 이해를 바탕으로**

곱셈구구는 암기에만 초점을 맞추면 부작용이 큽니다. 곱셈은 덧셈을 압축한 것이라는 원리를 이해하며 구구단을 외움으로써 연산을 빨리 할 수 있다는 것을 알게 해야 합니다. 곱셈구구를 외우는 것도 중요하지만 곱셈의 의미를 정확하게 아는 것이 더 중요합니다. 4×3을 할 줄 아는 학생이 두 자리 곱하기 한 자리는 안 배워서 45×3을 못 한다고 말하는 일은 없도록 해야 합니다.

K단계 (5, 6, 7세) · 연산을 시작하는 단계

뛰어세기, 거꾸로 뛰어세기를 통해 수의 연속한 성질(linearity)을 이해하고 덧셈, 뺄셈을 공부합니다. 각 권의 호흡은 짧지만 일관성 있는 접근으로 자연스럽게 나선형식 반복학습의 효과가 있도록 하였습니다.

학습대상 : 연산을 시작하는 아이와 한 자리 수 덧셈을 구체물(손가락 등)을 이용하여 해결하는 아이

학습목표 : 수와 연산의 튼튼한 기초 만들기

P단계 (7세, 1학년) · 받아올림이 있는 덧셈, 뺄셈을 배울 준비를 하는 단계

5, 6, 9 뛰어세기를 공부하면서 10을 이용한 더하기, 빼기의 편리함을 알도록 한 후, 가르기와 모으기의 집중학습으로 보수 익히기, 10의 보수를 이용한 덧셈, 뺄셈의 원리를 공부합니다.

학습대상 : 받아올림이 없는 한 자리 수의 덧셈을 할 줄 아는 학생

학습목표 : 받아올림이 있는 연산의 토대 만들기

A단계 (1학년) · 초등학교 1학년 교과과정 연산

받아올림이 있는 한 자리 수의 덧셈, 뺄셈은 연산 전체에 매우 중요한 단계입니다. 원리를 정확하게 알고 A1에서 A4까지 총 4권에서 한 자리 수의 연산을 다양한 과정으로 연습하도록 하였습니다.

학습대상 : 초등학교 1학년 수학교과과정을 공부하는 학생

학습목표 : 10의 보수를 이용한 받아올림이 있는 덧셈, 뺄셈

B단계 (2학년) · 초등학교 2학년 교과과정 연산

두 자리, 세 자리 수의 연산을 다룬 후 곱셈, 나눗셈을 다루는 과정에서 곱셈구구의 암기를 확인하기보다는 곱셈구구를 외우는데 도움이 되고, 곱셈, 나눗셈의 원리를 확장하여 사고할 수 있도록 하는데 초점을 맞추었습니다.

학습대상 : 초등학교 2학년 수학교과과정을 공부하는 학생

학습목표 : 덧셈, 뺄셈의 완성 / 곱셈, 나눗셈의 원리를 정확하게 알고 개념 확장

C단계 (3학년) · 초등학교 3, 4학년 교과과정 연산

B단계까지의 소마셈은 다양한 문제를 통해서 학생들이 즐겁게 연산을 공부하고 원리를 정확하게 알게 하는데 초점을 맞추었다면, C단계는 3학년 과정의 큰 수의 연산과 4학년 과정의 혼합 계산, 괄호를 사용한 식 등, 필수 연산의 연습을 충실히 할 수 있도록 하였습니다.

학습대상 : 초등학교 3, 4학년 수학교과과정을 공부하는 학생

학습목표 : 큰 수의 곱셈과 나눗셈, 혼합 계산

D단계 (4학년) · 초등학교 4, 5학년 교과과정 연산

분모가 같은 분수의 덧셈과 뺄셈, 소수의 덧셈과 뺄셈을 공부하여 초등 4학년 과정 연산을 마무리하고 초등 5학년 연산과정에서 가장 중요한 약수와 배수, 분모가 다른 분수의 덧셈과 뺄셈을 충분히 익힐 수 있도록 하였습니다.

학습대상 : 초등학교 4, 5학년 수학교과과정을 공부하는 학생

학습목표 : 분모가 같은 분수의 덧셈과 뺄셈, 소수의 덧셈과 뺄셈, 분모가 다른 분수의 덧셈과 뺄셈

소마셈 단계별 학습내용

K 단계 추천연령 : 5, 6, 7세

단계	K1	K2	K3	K4
권별 주제	10까지의 더하기와 빼기 1	20까지의 더하기와 빼기 1	10까지의 더하기와 빼기 2	20까지의 더하기와 빼기 2
단계	K5	K6	K7	K8
권별 주제	10까지의 더하기와 빼기 3	20까지의 더하기와 빼기 3	20까지의 더하기와 빼기 4	7까지의 가르기와 모으기

P 단계 추천연령 : 7세, 1학년

단계	P1	P2	P3	P4
권별 주제	30까지의 더하기와 빼기 5	30까지의 더하기와 빼기 6	30까지의 더하기와 빼기 10	30까지의 더하기와 빼기 9
단계	P5	P6	P7	P8
권별 주제	9까지의 가르기와 모으기	10 가르기와 모으기	10을 이용한 더하기	10을 이용한 빼기

A 단계 추천연령 : 1학년

단계	A1	A2	A3	A4
권별 주제	덧셈구구	뺄셈구구	세 수의 덧셈과 뺄셈	□가 있는 덧셈과 뺄셈
단계	A5	A6	A7	A8
권별 주제	(두 자리 수) + (한 자리 수)	(두 자리 수) - (한 자리 수)	두 자리 수의 덧셈과 뺄셈	□가 있는 두 자리 수의 덧셈과 뺄셈

B 단계 추천연령 : 2학년

단계	B1	B2	B3	B4
권별 주제	(두 자리 수) + (두 자리 수)	(두 자리 수) - (두 자리 수)	세 자리 수의 덧셈과 뺄셈	덧셈과 뺄셈의 활용
단계	B5	B6	B7	B8
권별 주제	곱셈	곱셈구구	나눗셈	곱셈과 나눗셈의 활용

C 단계 추천연령 : 3학년

단계	C1	C2	C3	C4
권별 주제	두 자리 수의 곱셈	두 자리 수의 곱셈과 활용	두 자리 수의 나눗셈	세 자리 수의 나눗셈과 활용
단계	C5	C6	C7	C8
권별 주제	큰 수의 곱셈	큰 수의 나눗셈	혼합 계산	혼합 계산의 활용

D 단계 추천연령 : 4학년

단계	D1	D2	D3	D4
권별 주제	분모가 같은 분수의 덧셈과 뺄셈(1)	분모가 같은 분수의 덧셈과 뺄셈(2)	소수의 덧셈과 뺄셈	약수와 배수
단계	D5	D6		
권별 주제	분모가 다른 분수의 덧셈과 뺄셈(1)	분모가 다른 분수의 덧셈과 뺄셈(2)		

구성과 특징

① 수 이야기

생활 속의 수 이야기를 통해 수와 연산의 이해를 돕습니다. 수의 역사나 재미있는 연산 문제를 접하면서 수학이 재미있는 공부가 되도록 합니다.

② 원리 & 연습

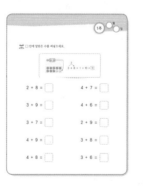

구체물 또는 그림을 통해 연산의 원리를 쉽게 이해하고, 원리의 이해를 바탕으로 연산이 익숙해시도록 연습합니다.

사고력 연산

반복적인 연산에서 나아가 배운 원리를 활용하여 확장된 문제를 해결합니다. 어려운 문제를 싣기보다 다양한 생각을 할 수 있는 내용으로 구성하였습니다.

Drill (보충학습)

주차별 주제에 대한 연습이 더 필요한 경우 보충학습을 활용합니다.

 연산과정의 확인이 필수적인 주제는 Drill 의 양을 2배로 담았습니다.

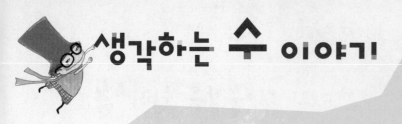
마방진의 유래

가로, 세로 3칸씩으로 이루어진 정사각형에 1부터 9까지의 수를 겹치지 않게 채워 넣었을 때 가로, 세로, 대각선 위에 놓인 세 수의 합이 모두 같아지는 수의 표를 본 적이 있나요? 이렇게 만든 수의 배열을 마방진이라고 해요. 이 마방진은 어떻게 만들어졌을까요?

중국 하나라의 우왕 시대 때, 하나라의 백성들은 해마다 홍수로 강물이 넘쳐서 걱정을 하고 있었어요.
우왕은 백성들을 위해 공사를 하기로 했는데, 바로 그때 강 복판에서 거북이 한 마리가 나타났어요. 그 거북이의 등에는 신기한 무늬가 새겨져 있었는데 사람들은 이 무늬를 여러 궁리 끝에 수로 나타내게 되었어요. 무늬에 나타나있는 점의 수를 숫자로 나타내어 보니 1부터 9까지의 수를 겹치지 않게 9개의 칸에 배열해 놓은 것이었어요. 더 놀라운 점은 가로, 세로, 대각선 위에 놓인 세 수의 합이 모두 같았다는 것이에요.
이 방진은 유럽에도 건너가서 마방진(Magic square)이란 이름으로 통용되게 되었답니다.

4	9	2
3	5	7
8	1	6

소마셈 B4 – 1주차

세 자리 수의
덧셈과 뺄셈

여러 가지 방법으로 합 구하기 (1)

 여러 가지 방법으로 계산하는 방법을 알아보고, □ 안에 알맞은 수를 써 넣어 덧셈을 해 보세요.

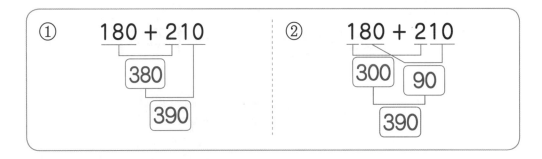

① 180 + 210
380
390

② 180 + 210
300   90
390

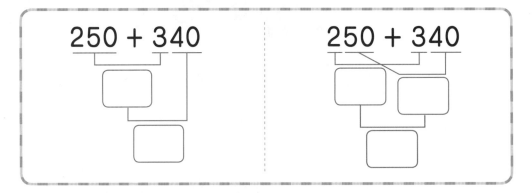

250 + 340

250 + 340

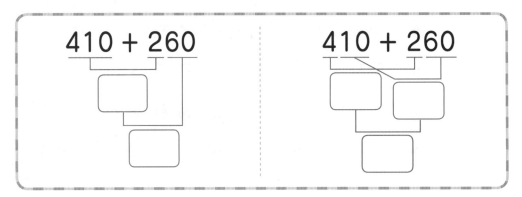

410 + 260

410 + 260

 TIP

받아올림이 없는 세 자리 수의 덧셈을 할 때, ① 더하는 수를 몇백과 몇십으로 나누어 계산하거나 ② 두 수를 각각 몇백과 몇십으로 나누어 계산할 수 있습니다.

안에 알맞은 수를 써넣어 덧셈을 해 보세요.

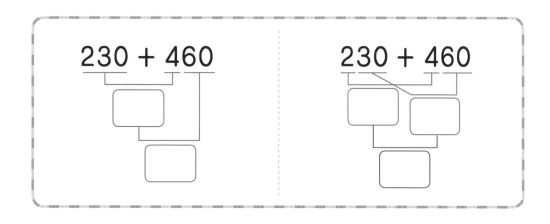

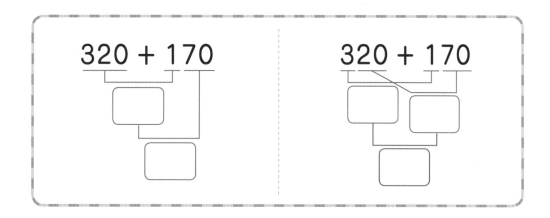

여러 가지 방법으로 차 구하기 (1)

 여러 가지 방법으로 계산하는 방법을 알아보고, □ 안에 알맞은 수를 써 넣어 뺄셈을 해 보세요.

① 390 - 140
  290
   250

② 390 - 140
  200 50
   250

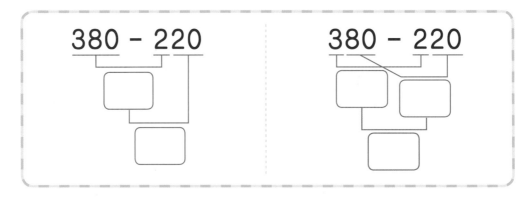

380 - 220

380 - 220

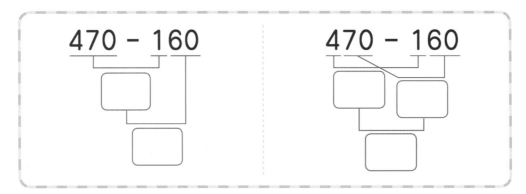

470 - 160

470 - 160

받아내림이 없는 세 자리 수의 뺄셈을 할 때, ① 빼는 수를 몇백과 몇십으로 나누어 계산하거나 ② 두 수를 각각 몇백과 몇십으로 나누어 계산할 수 있습니다.

□ 안에 알맞은 수를 써넣어 뺄셈을 해 보세요.

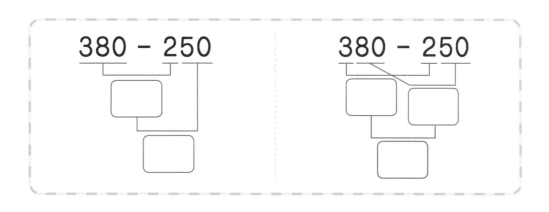

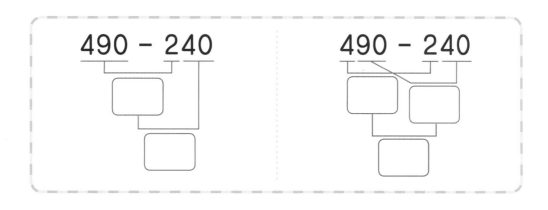

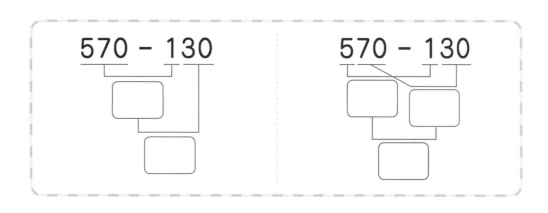

여러 가지 방법으로 합 구하기 (2)

 여러 가지 방법으로 계산하는 방법을 알아보고, □ 안에 알맞은 수를 써 넣어 덧셈을 해 보세요.

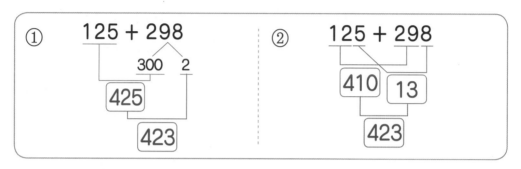

① 125 + 298

300 2

425

423

② 125 + 298

410 13

423

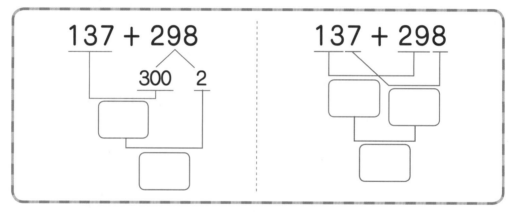

137 + 298

300 2

137 + 298

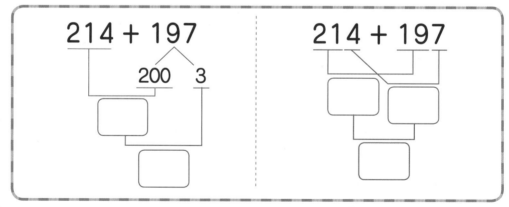

214 + 197

200 3

214 + 197

TIP

받아올림이 있는 세 자리 수의 덧셈을 할 때, ① 더하는 수를 몇백과 몇으로 나누어 계산하거나 ② 두 수를 각각 몇백 몇십과 몇으로 나누어 계산할 수 있습니다.

□ 안에 알맞은 수를 써넣어 덧셈을 해 보세요.

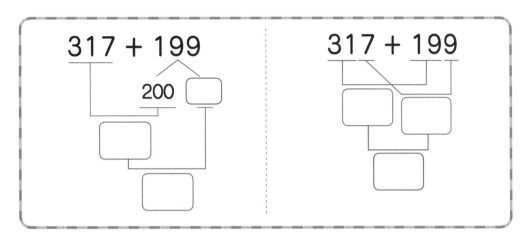

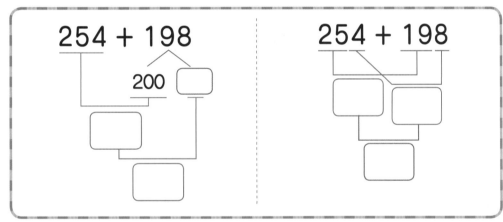

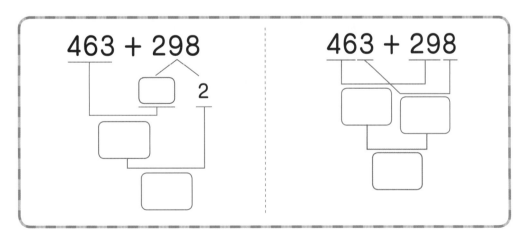

여러 가지 방법으로 차 구하기(2)

 여러 가지 방법으로 계산하는 방법을 알아보고, □ 안에 알맞은 수를 써 넣어 뺄셈을 해 보세요.

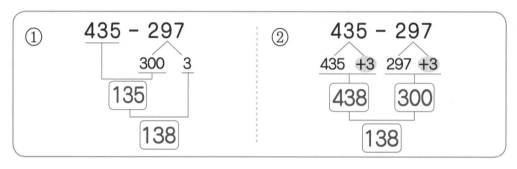

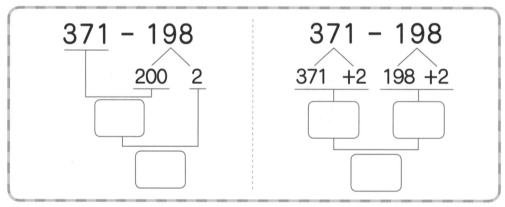

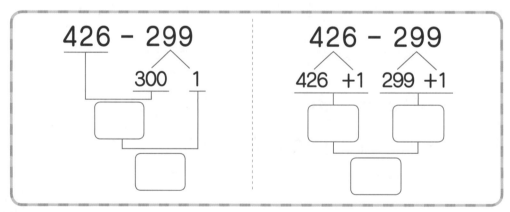

받아내림이 있는 세 자리 수의 뺄셈을 할 때, ① 빼는 수를 몇백과 몇으로 나누어 계산하거나
② 빼는 수를 빼기 쉬운 수(몇백)가 되도록 두 수에 같은 수를 더한 후 계산할 수 있습니다.

□ 안에 알맞은 수를 써넣어 뺄셈을 해 보세요.

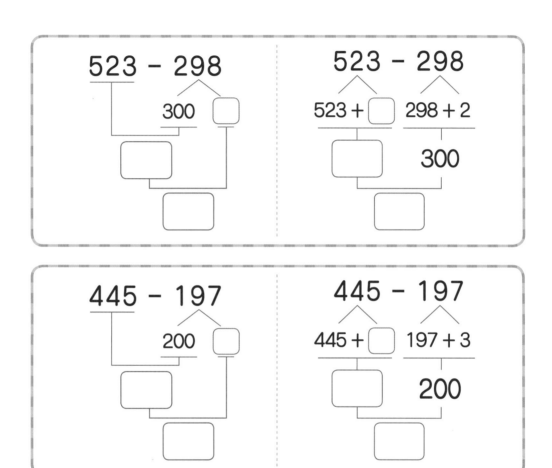

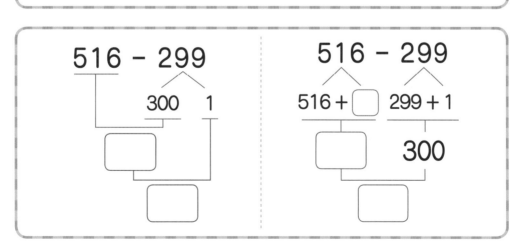

덧셈, 뺄셈 퍼즐

 빈칸에 알맞은 수를 써넣으세요.

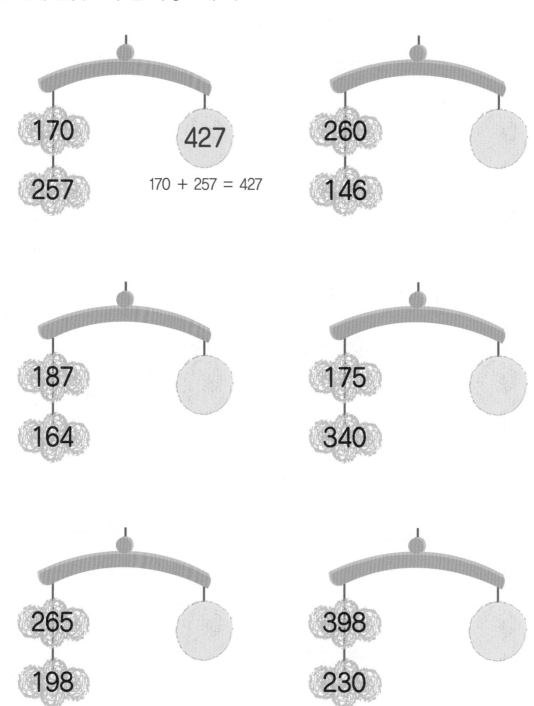

170
257
427
170 + 257 = 427

260
146

187
164

175
340

265
198

398
230

빈칸에 알맞은 수를 써넣으세요.

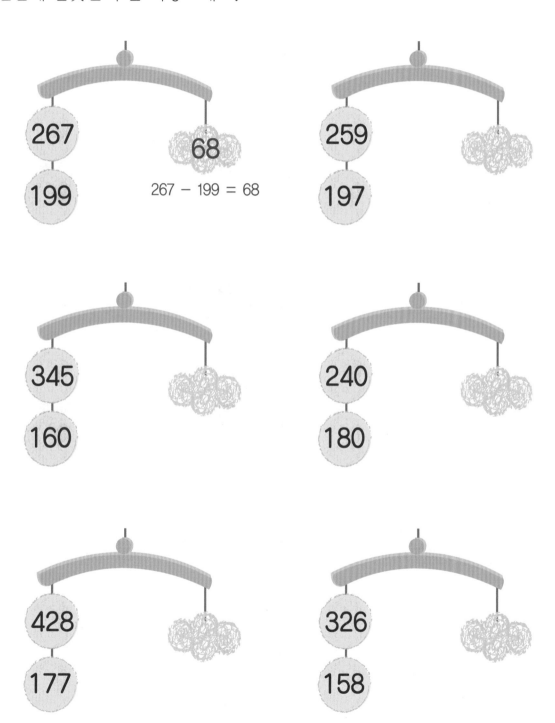

267
199
68
267 − 199 = 68

259
197

345
160

240
180

428
177

326
158

올바른 계산 결과가 되도록 선으로 이어 보세요.

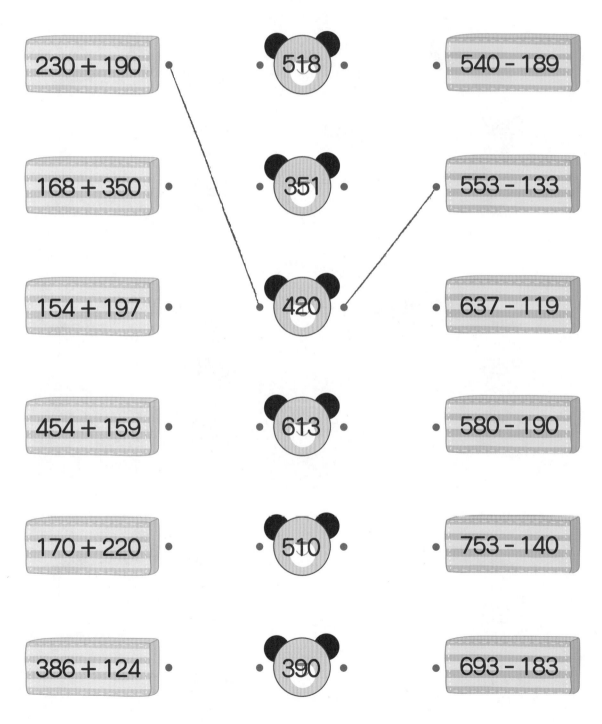

소마셈 B4 - 2주차

세 수의 덧셈과 뺄셈

세 수의 덧셈

 □ 안에 알맞은 수를 써넣어 차례로 계산하세요.

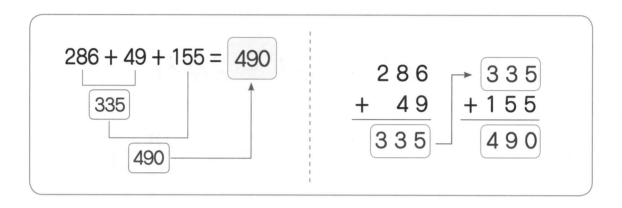

$$286 + 49 + 155 = \boxed{490}$$

335

490

$$\begin{array}{r} 2\ 8\ 6 \\ +\ \ 4\ 9 \\ \hline \boxed{3\ 3\ 5} \end{array} \rightarrow \boxed{3\ 3\ 5} \begin{array}{r} \\ +1\ 5\ 5 \\ \hline \boxed{4\ 9\ 0} \end{array}$$

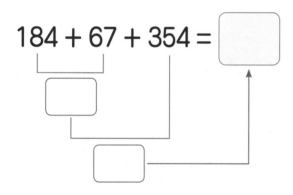

$$184 + 67 + 354 = \boxed{}$$

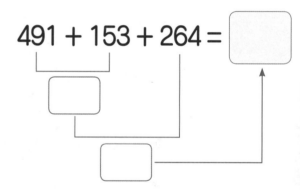

$$491 + 153 + 264 = \boxed{}$$

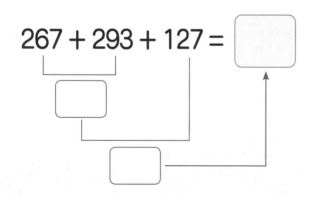

$$267 + 293 + 127 = \boxed{}$$

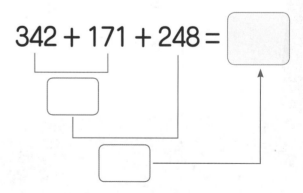

$$342 + 171 + 248 = \boxed{}$$

□ 안에 알맞은 수를 써넣어 차례로 계산하세요.

$356 + 28 + 175 = \boxed{559}$

$$
\begin{array}{r}
356 \\
+\ \ 28 \\
\hline
\boxed{384}
\end{array}
\qquad
\begin{array}{r}
\boxed{384} \\
+175 \\
\hline
\boxed{559}
\end{array}
$$

$168 + 84 + 317 = \boxed{}$

$$
\begin{array}{r}
168 \\
+\ \ 84 \\
\hline
\boxed{}
\end{array}
\qquad
\begin{array}{r}
\boxed{} \\
+317 \\
\hline
\boxed{}
\end{array}
$$

$246 + 275 + 337 = \boxed{}$

$$
\begin{array}{r}
246 \\
+275 \\
\hline
\boxed{}
\end{array}
\qquad
\begin{array}{r}
\boxed{} \\
+337 \\
\hline
\boxed{}
\end{array}
$$

$278 + 161 + 453 = \boxed{}$

$$
\begin{array}{r}
278 \\
+161 \\
\hline
\boxed{}
\end{array}
\qquad
\begin{array}{r}
\boxed{} \\
+453 \\
\hline
\boxed{}
\end{array}
$$

$195 + 425 + 183 = \boxed{}$

$$
\begin{array}{r}
195 \\
+425 \\
\hline
\boxed{}
\end{array}
\qquad
\begin{array}{r}
\boxed{} \\
+183 \\
\hline
\boxed{}
\end{array}
$$

$324 + 194 + 362 = \boxed{}$

$$
\begin{array}{r}
324 \\
+194 \\
\hline
\boxed{}
\end{array}
\qquad
\begin{array}{r}
\boxed{} \\
+362 \\
\hline
\boxed{}
\end{array}
$$

세 수의 뺄셈

 □ 안에 알맞은 수를 써넣어 차례로 계산하세요.

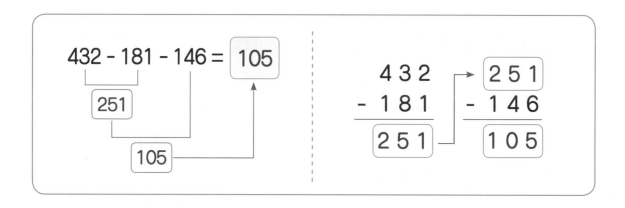

527 - 165 - 137 =

622 - 164 - 239 =

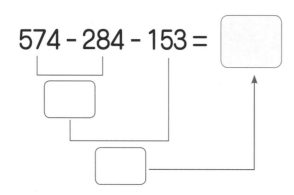

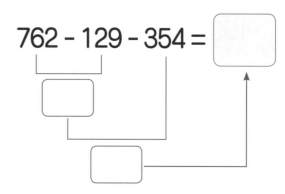

574 - 284 - 153 =

762 - 129 - 354 =

□ 안에 알맞은 수를 써넣어 차례로 계산하세요.

541 - 126 - 186 = 229

```
  5 4 1        4 1 5
- 1 2 6      - 1 8 6
  4 1 5        2 2 9
```

638 - 175 - 244 = ☐

```
  6 3 8        ☐
- 1 7 5      - 2 4 4
  ☐            ☐
```

537 - 319 - 107 = ☐

```
  5 3 7        ☐
- 3 1 9      - 1 0 7
  ☐            ☐
```

752 - 146 - 328 = ☐

```
  7 5 2        ☐
- 1 4 6      - 3 2 8
  ☐            ☐
```

655 - 184 - 264 = ☐

```
  6 5 5        ☐
- 1 8 4      - 2 6 4
  ☐            ☐
```

815 - 240 - 182 = ☐

```
  8 1 5        ☐
- 2 4 0      - 1 8 2
  ☐            ☐
```

세 수의 덧셈과 뺄셈

 □ 안에 알맞은 수를 써넣으세요.

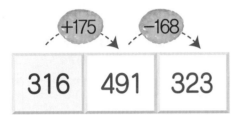

| +175 | −168 |
| 316 | 491 | 323 |

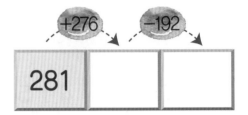

| +276 | −192 |
| 281 | | |

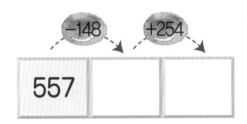

| −148 | +254 |
| 557 | | |

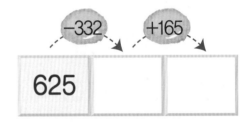

| −332 | +165 |
| 625 | | |

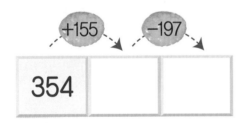

| +155 | −197 |
| 354 | | |

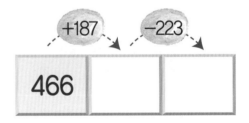

| +187 | −223 |
| 466 | | |

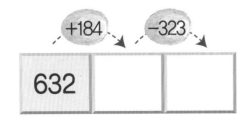

| +184 | −323 |
| 632 | | |

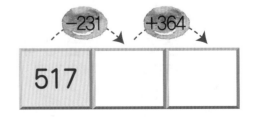

| −231 | +364 |
| 517 | | |

□ 안에 알맞은 수를 써넣어 차례로 계산하세요.

235 + 284 - 167 = 352

$$
\begin{array}{r}
2\,3\,5 \\
+\,2\,8\,4 \\
\hline
\boxed{5\,1\,9}
\end{array}
\rightarrow
\begin{array}{r}
\boxed{5\,1\,9} \\
-\,1\,6\,7 \\
\hline
\boxed{3\,5\,2}
\end{array}
$$

448 + 183 - 186 = ☐

$$
\begin{array}{r}
4\,4\,8 \\
+\,1\,8\,3 \\
\hline
\boxed{}
\end{array}
\rightarrow
\begin{array}{r}
\boxed{} \\
-\,1\,8\,6 \\
\hline
\boxed{}
\end{array}
$$

422 - 172 + 359 = ☐

$$
\begin{array}{r}
4\,2\,2 \\
-\,1\,7\,2 \\
\hline
\boxed{}
\end{array}
\rightarrow
\begin{array}{r}
\boxed{} \\
+\,3\,5\,9 \\
\hline
\boxed{}
\end{array}
$$

516 + 246 - 309 = ☐

$$
\begin{array}{r}
5\,1\,6 \\
+\,2\,4\,6 \\
\hline
\boxed{}
\end{array}
\rightarrow
\begin{array}{r}
\boxed{} \\
-\,3\,0\,9 \\
\hline
\boxed{}
\end{array}
$$

715 - 240 + 274 = ☐

$$
\begin{array}{r}
7\,1\,5 \\
-\,2\,4\,0 \\
\hline
\boxed{}
\end{array}
\rightarrow
\begin{array}{r}
\boxed{} \\
+\,2\,7\,4 \\
\hline
\boxed{}
\end{array}
$$

643 - 448 + 372 = ☐

$$
\begin{array}{r}
6\,4\,3 \\
-\,4\,4\,8 \\
\hline
\boxed{}
\end{array}
\rightarrow
\begin{array}{r}
\boxed{} \\
+\,3\,7\,2 \\
\hline
\boxed{}
\end{array}
$$

점수판 맞추기

🌱 화살이 점수판의 색칠되지 않은 곳에 맞으면 그 수만큼 더하고, 색칠된 곳에 맞으면 그 수만큼 빼서 점수를 계산해 보세요.

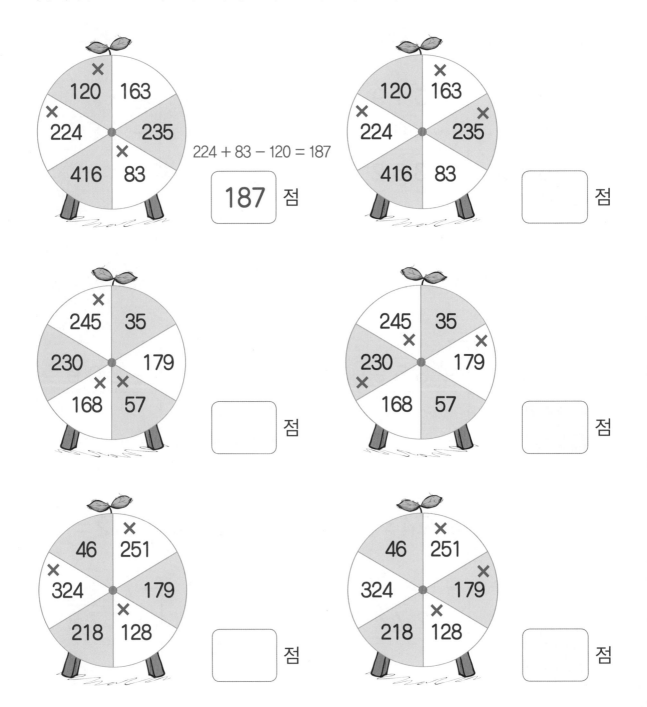

224 + 83 − 120 = 187

187 점

점

점

점

점

점

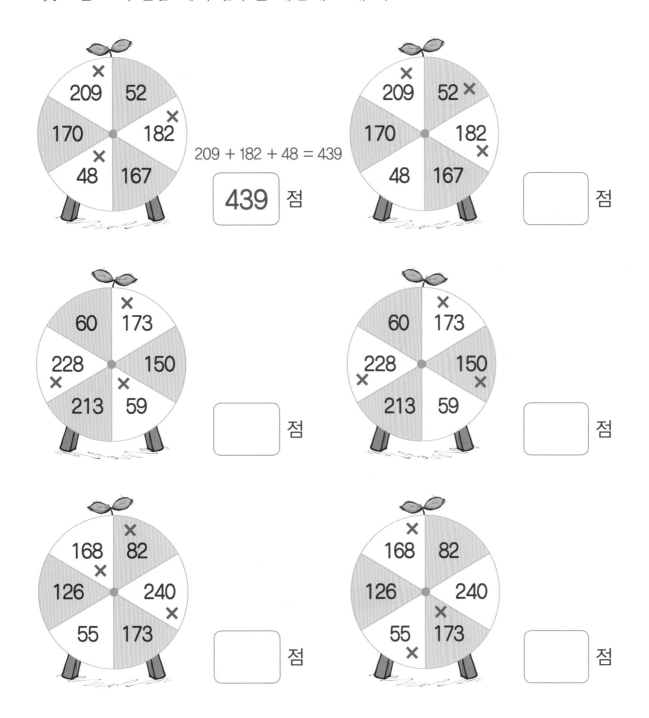

🌱 화살이 점수판의 색칠되지 않은 곳에 맞으면 그 수만큼 더하고, 색칠된 곳에 맞으면 그 수만큼 **빼서** 점수를 계산해 보세요.

209 + 182 + 48 = 439

439 점

점

점

점

점

점

문장제

 이야기를 읽고, 유람선에 타고 있는 사람은 몇 명인지 구하세요.

채영이는 가족들과 유람선을 타러 갔습니다. 책에서만 보았던 유람선을 실제로 타보게 되어 기대를 안고 유람선을 탔습니다. 유람선 안에는 승객이 314명 타고 있었습니다. 유람선이 출발하고 넓은 바다를 감상하다 보니 첫 번째 선착장에 도착했습니다. 선착장에서는 127명이 내리고 또 다른 승객 192명이 더 탔습니다.

지금 유람선에 타고 있는 사람은 몇 명일까요?

식 : 314 - 127 + 192 = 379

명

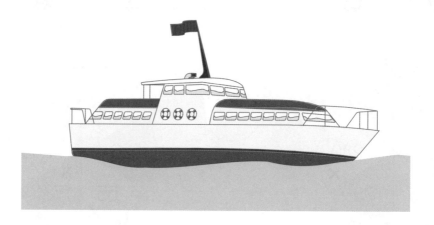

다음을 읽고 알맞은 식을 쓰고, 답을 구하세요.

산에 밤나무가 286그루, 도토리나무가 119그루 있습니다. 소나무를 357그루 더 심었다면 산에 있는 나무는 모두 몇 그루일까요?

식 :

그루

창현이는 438쪽짜리 책을 지난주에 178쪽 읽었고, 이번 주에 138쪽 읽었습니다. 창현이는 몇 쪽을 더 읽으면 책을 다 읽게 될까요?

식 :

쪽

 다음을 읽고 알맞은 식을 쓰고, 답을 구하세요.

과수원에 감나무가 332그루, 배나무가 198그루, 사과나무가 274그루 있습니다. 과수원에 있는 나무는 모두 몇 그루일까요?

식 : _____   그루

기차에 484명이 타고 있습니다. 첫 번째 역에서 256명이 내리고, 두 번째 역에서 148명이 탔습니다. 지금 기차에 타고 있는 사람은 몇 명일까요?

식 : _____   명

과일가게에 사과가 326개 있습니다. 그 중 149개는 팔고, 70개는 썩어서 버렸습니다. 남은 사과는 몇 개일까요?

식 : _____   개

 다음을 읽고 알맞은 식을 쓰고, 답을 구하세요.

650명이 입장할 수 있는 동물원에 남자가 137명, 여자가 242명 있습니다. 앞으로 몇 명 더 입장할 수 있을까요?

식 : _____ [ ] 명

성규는 구슬을 283개 가지고 있습니다. 형은 성규보다 170개를 더 가지고 있고, 동생은 형보다 255개를 더 가지고 있습니다. 동생이 가진 구슬은 몇 개일까요?

식 : _____ [ ] 개

문구점에 연필이 426자루 있었습니다. 오늘 178자루를 더 들여 놓고, 318 자루를 팔았습니다. 문구점에 남아 있는 연필은 몇 자루일까요?

식 : _____ [ ] 자루

소마셈 B4 – 3주차

□ 구하기

빈칸 채우기

 두 수의 합은 ⬭ 안에, 두 수의 차는 ⬡ 안에 써넣으세요.

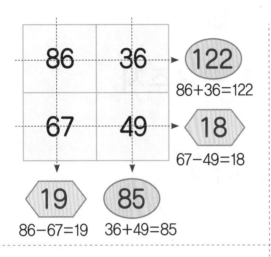

86 + 36 = 122
67 − 49 = 18
86 − 67 = 19
36 + 49 = 85

| 93 | 75 |
| 58 | 39 |

19

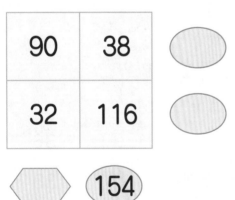

| 90 | 38 |
| 32 | 116 |

154

| 125 | 44 |
| 83 | 27 |

42

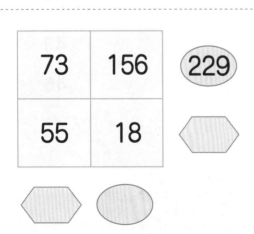

| 73 | 156 |
| 55 | 18 |

229

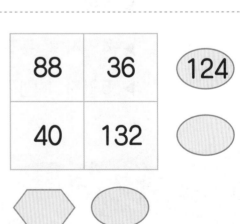

| 88 | 36 |
| 40 | 132 |

124

두 수의 합은 ⬭ 안에, 두 수의 차는 ⬡ 안에 써넣으세요.

118	83	⬭
47	29	⬭

⬡71 ⬡

143	76	⬭
50	44	⬭

⬡ ⬡32

97	44	⬭141
28	56	⬭

⬡ ⬭

236	65	⬭
94	48	⬭142

⬡ ⬭

82	153	⬭235
65	36	⬡

⬡ ⬭

91	174	⬭
77	48	⬡29

⬡ ⬭

수직선과 수 막대

🌱 수직선을 보고, □ 안에 알맞은 수를 써넣으세요.

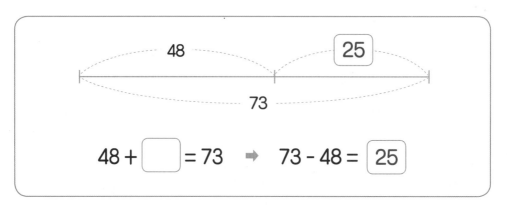

48 + □ = 73 ➡ 73 - 48 = 25

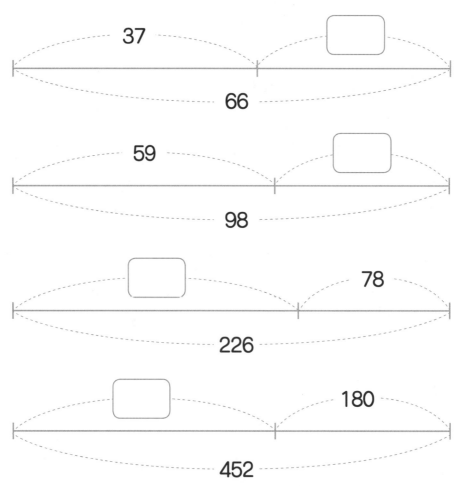

수직선을 보고, □ 안에 알맞은 수를 써넣으세요.

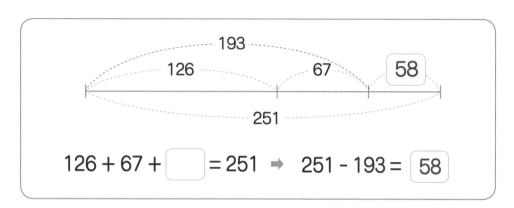

193
126   67   [58]
251

$126 + 67 + \boxed{} = 251 \Rightarrow 251 - 193 = \boxed{58}$

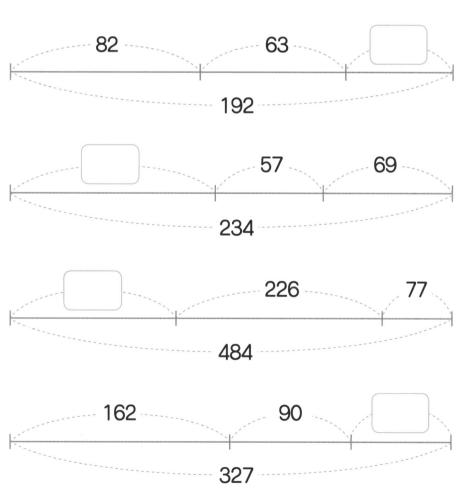

82   63   □
192

□   57   69
234

□   226   77
484

162   90   □
327

수 막대를 보고, □ 안에 알맞은 수를 써넣으세요.

119	59
178	

□	128
264	

157	□
430	

315	□
563	

□	129	85
348		

□	136	237
520		

185	324	□
635		

3 일 차 수 상자

 빈칸에 알맞은 수를 써넣으세요.

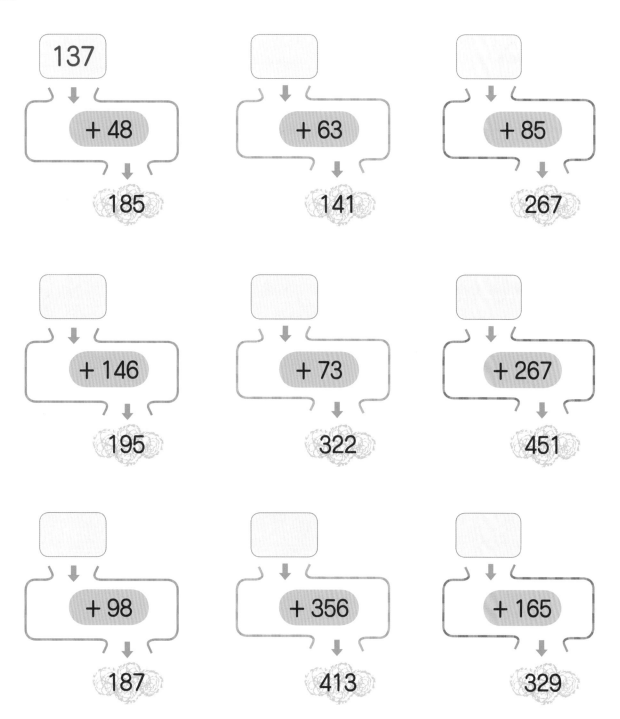

137		
↓	↓	↓
+ 48	+ 63	+ 85
↓	↓	↓
185	141	267

+ 146	+ 73	+ 267
195	322	451

+ 98	+ 356	+ 165
187	413	329

🌱 빈칸에 알맞은 수를 써넣으세요.

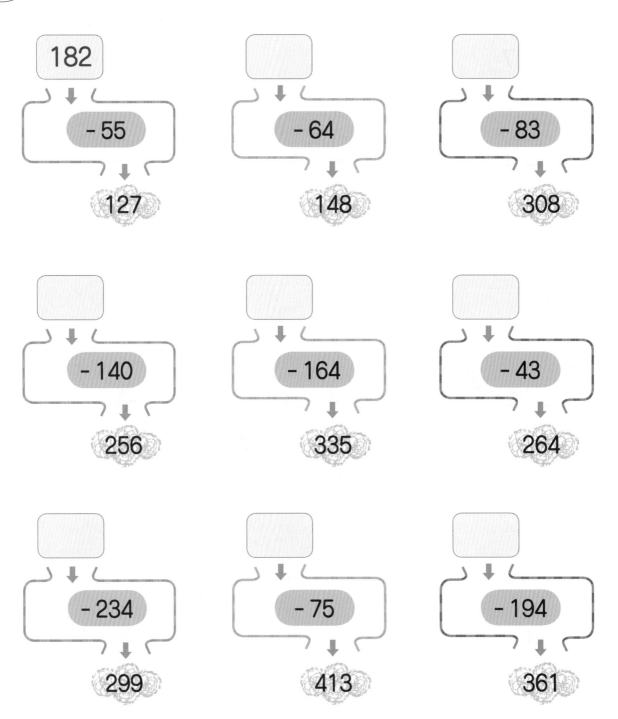

182 → − 55 → 127

− 64 → 148

− 83 → 308

− 140 → 256

− 164 → 335

− 43 → 264

− 234 → 299

− 75 → 413

− 194 → 361

규칙 찾기

 규칙에 맞게 빈칸에 알맞은 수를 써넣으세요.

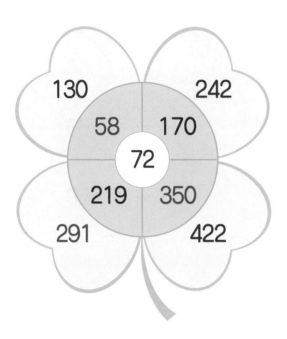

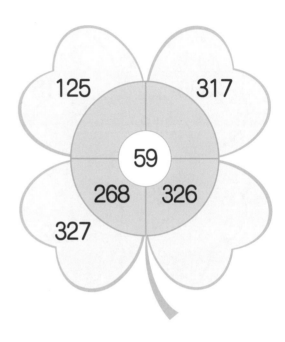

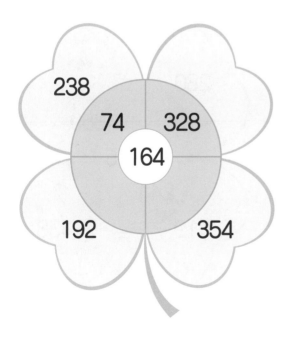

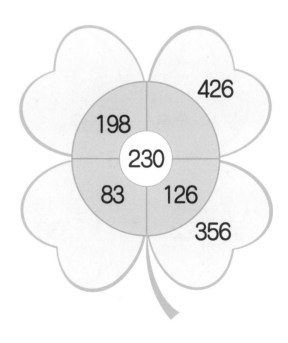

 규칙에 맞게 빈칸에 알맞은 수를 써넣으세요.

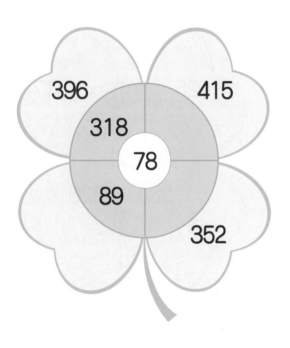

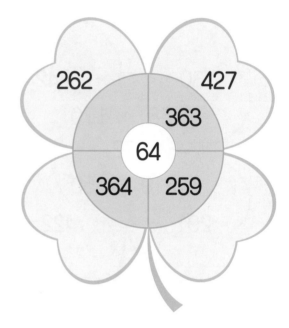

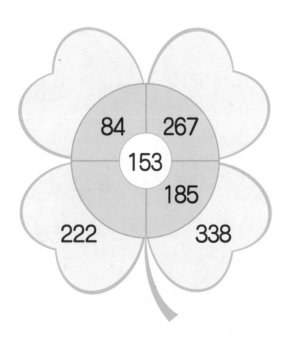

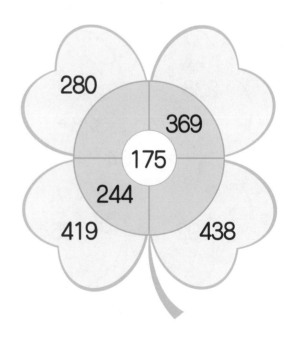

월
일

🌱 규칙에 맞게 빈칸에 알맞은 수를 써넣으세요.

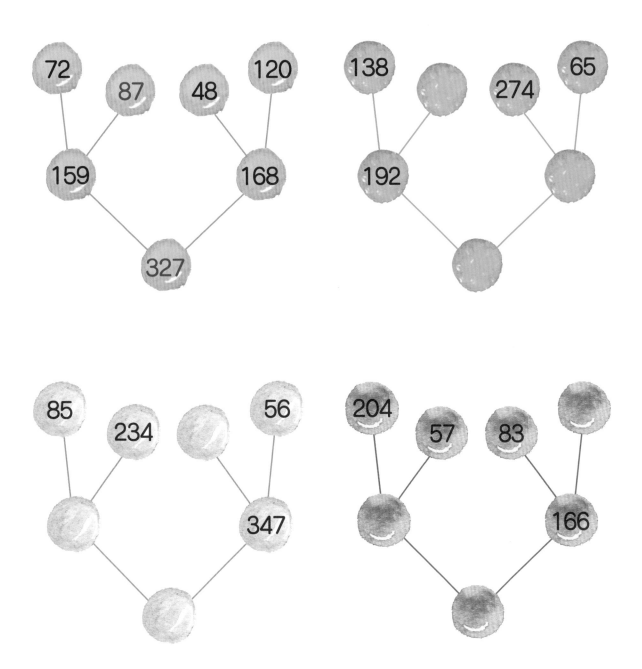

□가 있는 식 만들기

 다음을 읽고 □ 를 사용하여 식을 만들고, 어떤 수를 구하세요.

240에 어떤 수를 더했더니 570이 되었습니다. 어떤 수는 얼마일까요?

식 : 240 + □ = 570

330

어떤 수에 453을 더했더니 724가 되었습니다. 어떤 수는 얼마일까요?

식 :

374와 어떤 수의 합은 552입니다. 어떤 수는 얼마일까요?

식 :

 TIP

어떤 수를 □ 로 놓고 식을 만듭니다.

다음을 읽고 □ 를 사용하여 식을 만들고, 어떤 수를 구하세요.

843에서 어떤 수를 빼었더니 620이 되었습니다. 어떤 수는 얼마일까요?

식 : 843 − □ = 620

223

어떤 수에서 257을 빼었더니 142가 되었습니다. 어떤 수는 얼마일까요?

식 :

643보다 어떤 수만큼 작은 수는 218입니다. 어떤 수는 얼마일까요?

식 :

다음을 읽고 □ 를 사용하여 식을 만들고, 어떤 수를 구하세요.

어떤 수보다 235 큰 수는 729입니다. 어떤 수는 얼마일까요?

식 : _____

어떤 수보다 435 작은 수는 70입니다. 어떤 수는 얼마일까요?

식 : _____

어떤 수는 368보다 51만큼 큽니다. 어떤 수는 얼마일까요?

식 : _____

🌱 다음을 읽고 □ 를 사용하여 식을 만들고, 어떤 수를 구하세요.

어떤 수에 296을 더했더니 633이 되었습니다. 어떤 수는 얼마일까요?

식 :

554보다 어떤 수만큼 작은 수는 269입니다. 어떤 수는 얼마일까요?

식 :

어떤 수에서 168을 뺐더니 157이 되었습니다. 어떤 수는 얼마일까요?

식 :

소마셈 B4 - 4주차

마방진과 벌레 먹은 셈

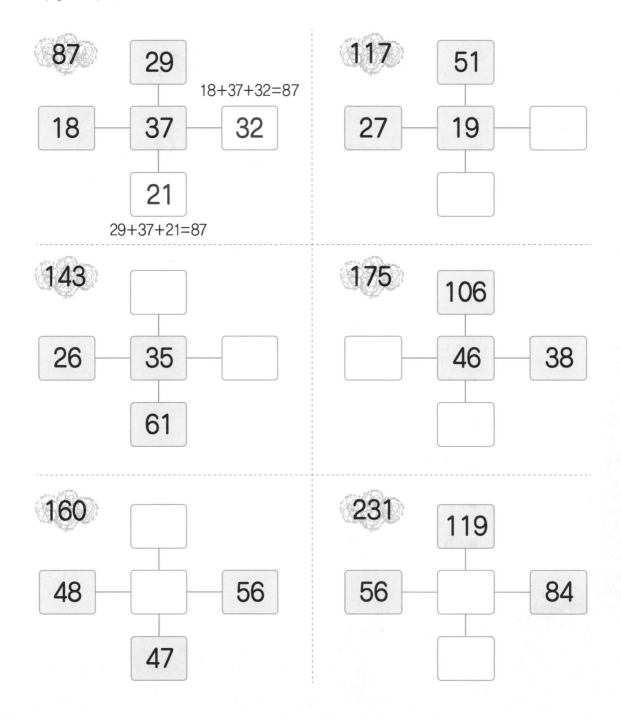

십자 마방진

🌱 한 줄에 있는 세 수의 합이 🌼 안의 수가 되도록 빈칸에 알맞은 수를 써넣으세요.

87   29

18+37+32=87

18   37   32

21

29+37+21=87

117   51

27   19

143

26   35

61

175   106

46   38

160

48   56

47

231   119

56   84

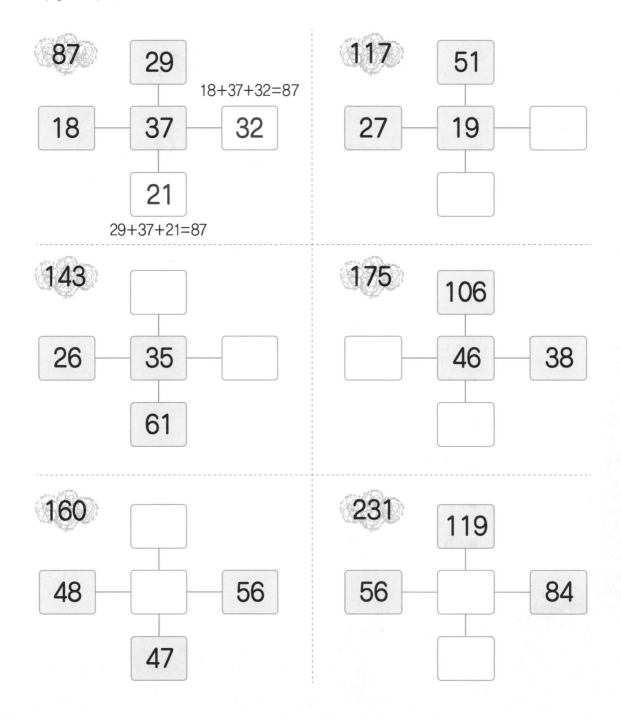

한 줄에 있는 세 수의 합이 같도록 빈칸에 알맞은 수를 써넣으세요.

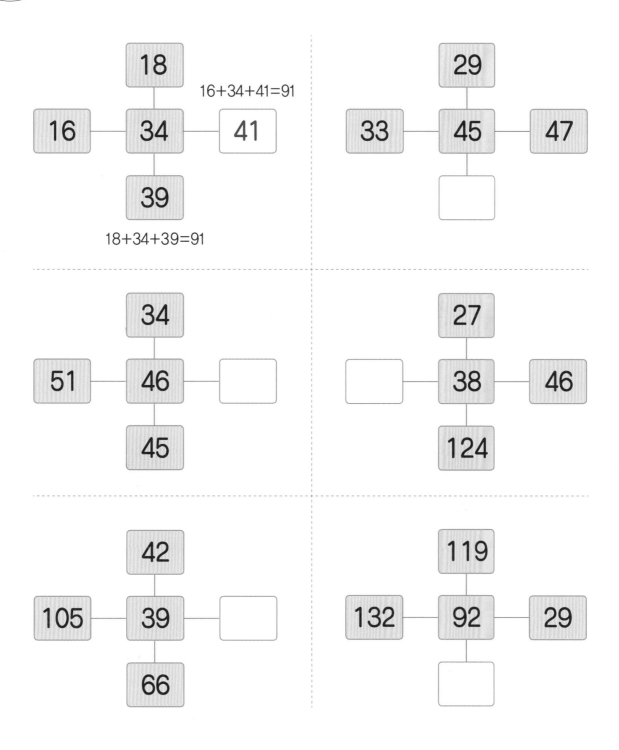

16+34+41=91

18+34+39=91

삼각진

🌱 한 줄에 있는 세 수의 합이 🌳 안의 수가 되도록 빈칸에 알맞은 수를 써 넣으세요.

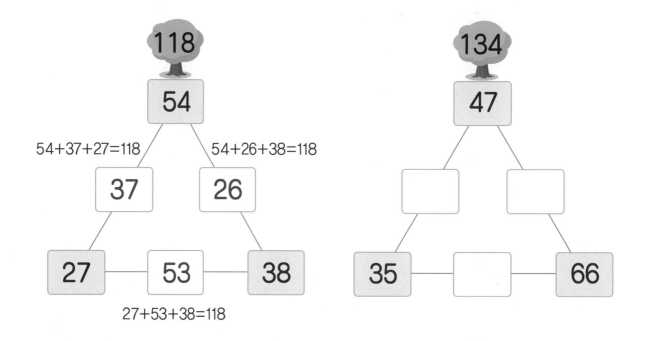

118

54

54+37+27=118   54+26+38=118

37   26

27   53   38

27+53+38=118

134

47

35   66

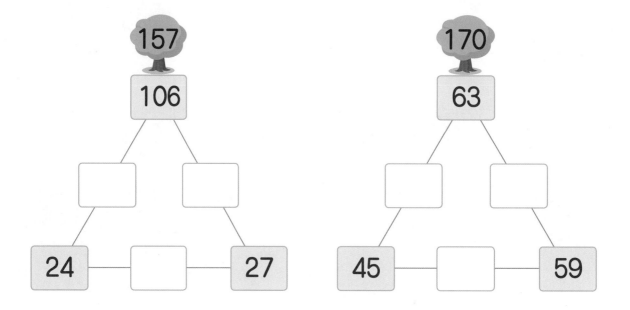

157

106

24   27

170

63

45   59

한 줄에 있는 세 수의 합이 같도록 빈칸에 알맞은 수를 써넣으세요.

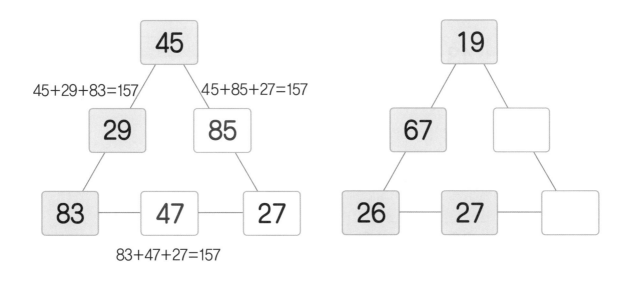

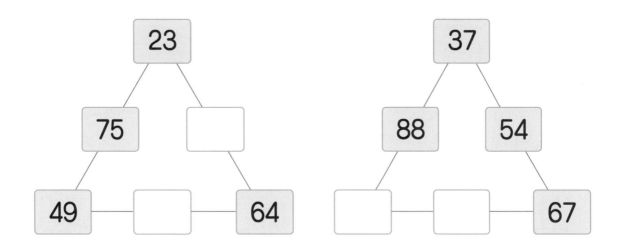

사각진

🌱 한 줄에 있는 세 수의 합이 ▨ 안의 수가 되도록 빈칸에 알맞은 수를 써 넣으세요.

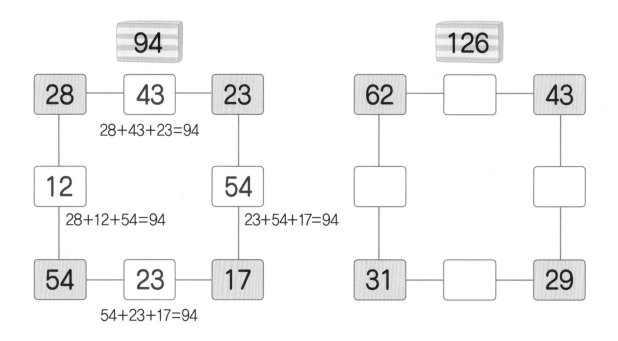

| 94 |

28 — 43 — 23
28+43+23=94

12 / 54

28+12+54=94   23+54+17=94

54 — 23 — 17
54+23+17=94

| 126 |

62 — □ — 43

□ / □

31 — □ — 29

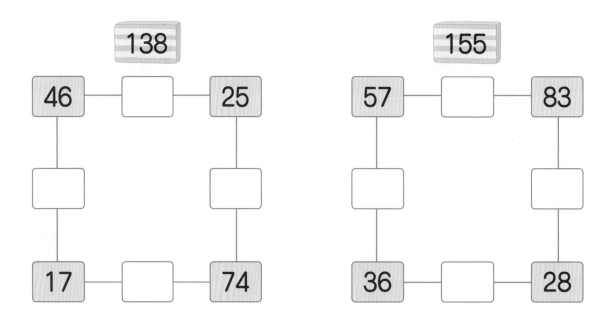

| 138 |

46 — □ — 25

□ / □

17 — □ — 74

| 155 |

57 — □ — 83

□ / □

36 — □ — 28

한 줄에 있는 세 수의 합이 같도록 빈칸에 알맞은 수를 써넣으세요.

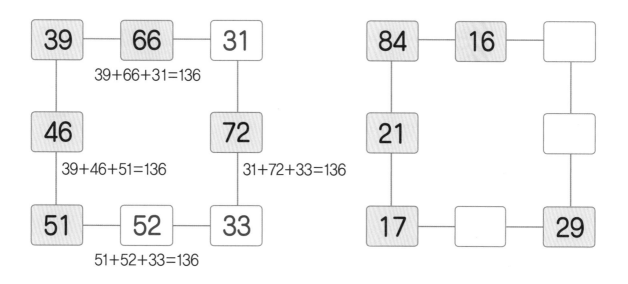

39 66 31
39+66+31=136

46

39+46+51=136

72

31+72+33=136

51 52 33
51+52+33=136

84 16 □
21 □
17 □ 29

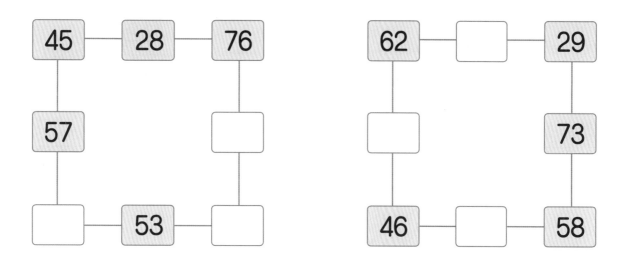

45 28 76
57 □
□ 53 □

62 □ 29
□ 73
46 □ 58

여러 가지 마방진

🌱 한 줄에 있는 세 수의 합이 ▨ 안의 수가 되도록 빈칸에 알맞은 수를 써 넣으세요.

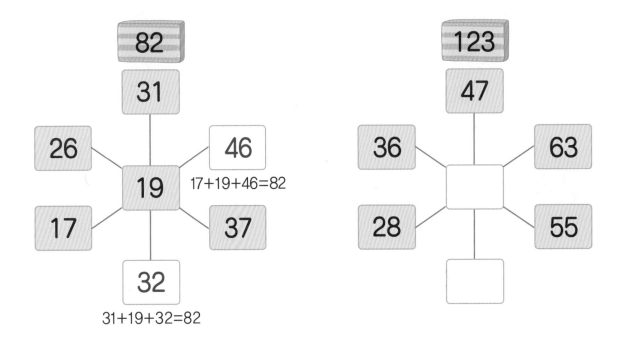

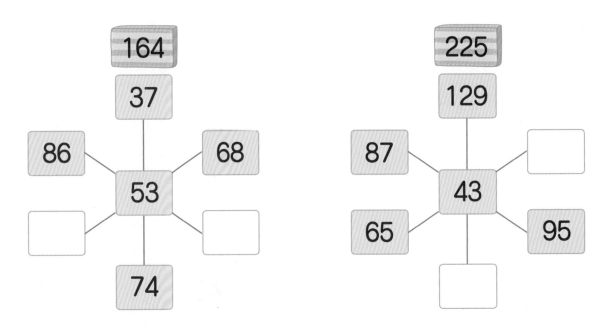

한 줄에 있는 세 수의 합이 ▨ 안의 수가 되도록 빈칸에 알맞은 수를 써 넣으세요.

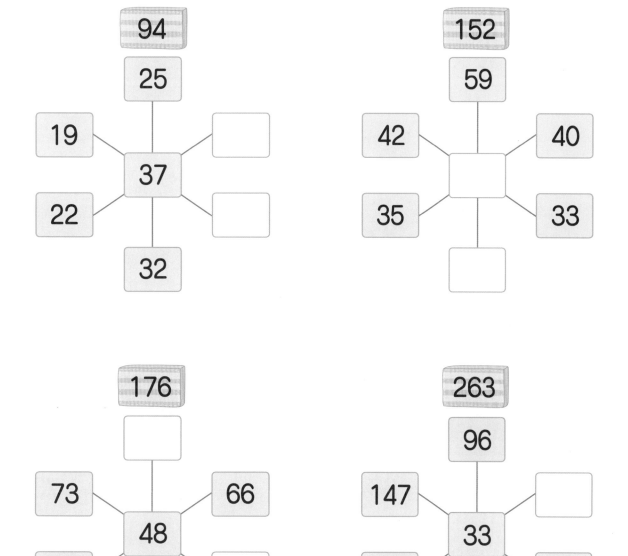

한 줄에 있는 세 수의 합이 같도록 빈칸에 알맞은 수를 써넣으세요.

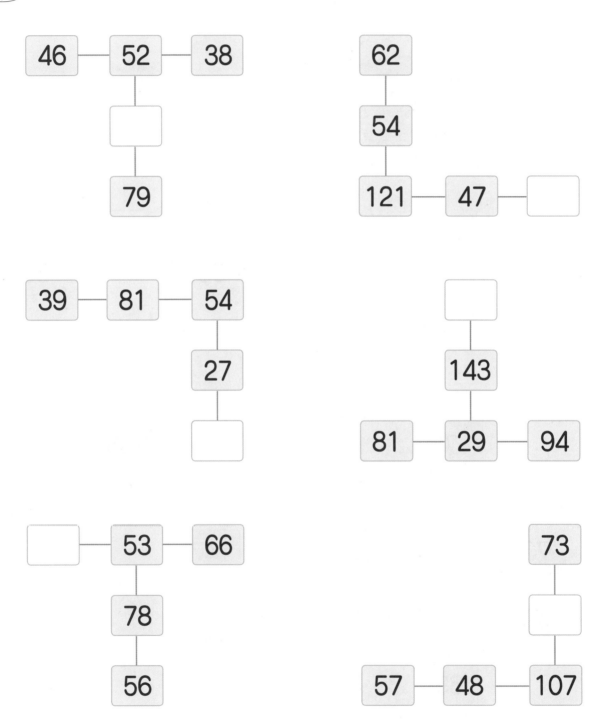

벌레 먹은 셈

 빈칸에 알맞은 숫자를 써넣으세요.

```
    2 7 5
  +   7 7
  ───────
    3 5 2
```

```
      5 
  +   8 6
  ───────
    2   5
```

```
      3 
  +     7
  ───────
    3 6 4
```

```
      2 
  +     8
  ───────
    4 1 1
```

```
      9 6
  +   3 
  ───────
    2   2
```

```
      2 
  +   9 4
  ───────
    5   2
```

```
      6 
  + 1 4 3
  ───────
    4   0
```

```
      4 
  + 1   7
  ───────
    4 1 1
```

```
      6 8
  + 2 7 
  ───────
    5   3
```

빈칸에 알맞은 숫자를 써넣으세요.

```
    3  8  2              1                7  4
  -    1  5          -    1  6          -     9
  ─────────          ─────────          ─────────
    3  6  7            2  3                3  4
```

```
       6                8                   4
  -    3  8          -     7           -    2  6
  ─────────          ─────────          ─────────
    2     3            3  2  4            4  3
```

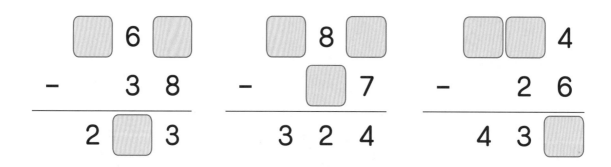

```
       8  2           3     5                 3
  -  1     7        -  1  2  6          -  2  4  9
  ─────────          ─────────          ─────────
    2  4                  6                3  7
```

빈칸에 알맞은 숫자를 써넣으세요.

```
    4  6  9              1  9 □              2  3 □
 + □2  3 □3          + □  9  5          + □ □  6
 ───────────         ───────────         ───────────
    7 □0  2              4 □  8              6  1  3
```

```
   □ □  4              □  5 □              □  8 □
 -  1  3  7           -  2  7  5          -  1 □  8
 ───────────         ───────────         ───────────
    4  5 □              3 □  3              5  2  4
```

```
   □  8  4              □  6  6              4  8 □
 +  1  5 □           +  2 □  5          + □  4  6
 ───────────         ───────────         ───────────
    4 □  2              6  5 □              6 □  2
```

Drill

세 자리 수의 덧셈과 뺄셈

□ 안에 알맞은 수를 써넣으세요.

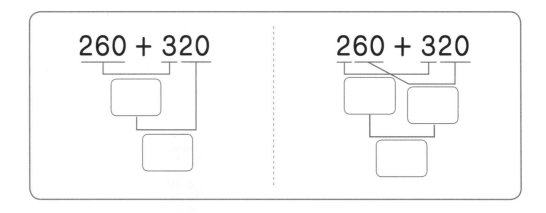

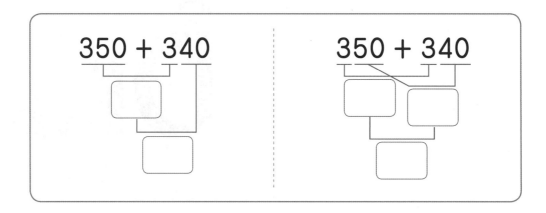

□ 안에 알맞은 수를 써넣으세요.

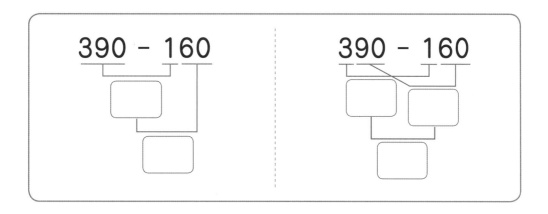

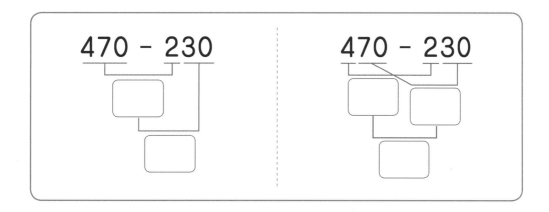

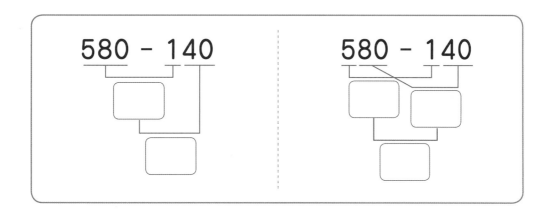

□ 안에 알맞은 수를 써넣으세요.

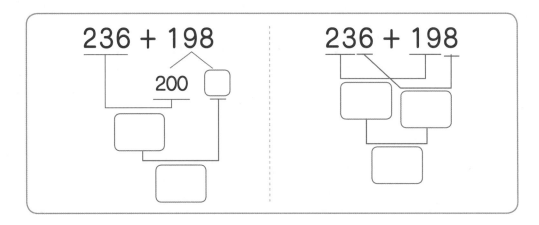

$236 + 198$ $236 + 198$

200

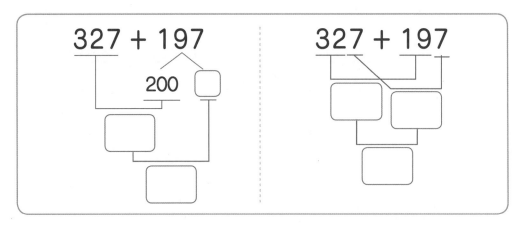

$327 + 197$ $327 + 197$

200

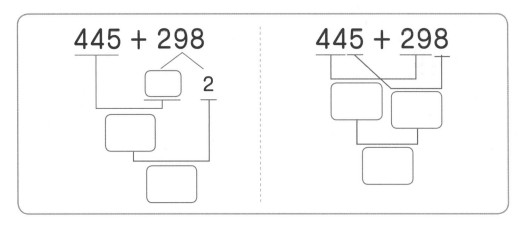

$445 + 298$ $445 + 298$

2

□ 안에 알맞은 수를 써넣으세요.

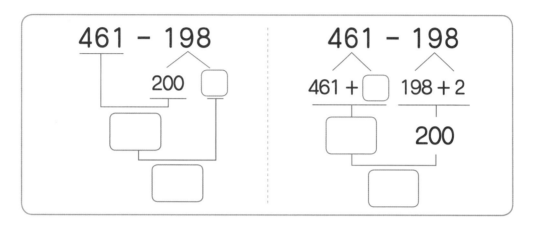

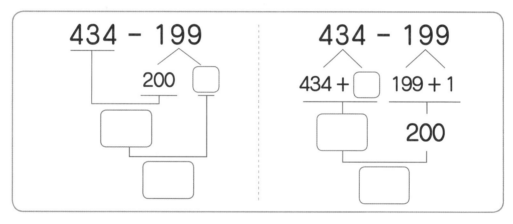

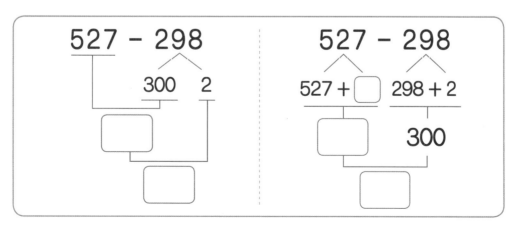

세 수의 덧셈과 뺄셈

□ 안에 알맞은 수를 써넣으세요.

$168 + 45 + 273 =$ □

$$\begin{array}{r} 1\,6\,8 \\ +\quad 4\,5 \\ \hline \square \end{array}$$ → □ $+2\,7\,3$ □ →

$286 + 62 + 334 =$ □

$$\begin{array}{r} 2\,8\,6 \\ +\quad 6\,2 \\ \hline \square \end{array}$$ → □ $+3\,3\,4$ □ →

$234 + 229 + 316 =$ □

$$\begin{array}{r} 2\,3\,4 \\ +2\,2\,9 \\ \hline \square \end{array}$$ → □ $+3\,1\,6$ □ →

$274 + 157 + 409 =$ □

$$\begin{array}{r} 2\,7\,4 \\ +1\,5\,7 \\ \hline \square \end{array}$$ → □ $+4\,0\,9$ □ →

$156 + 336 + 182 =$ □

$$\begin{array}{r} 1\,5\,6 \\ +3\,3\,6 \\ \hline \square \end{array}$$ → □ $+1\,8\,2$ □ →

$308 + 167 + 345 =$ □

$$\begin{array}{r} 3\,0\,8 \\ +1\,6\,7 \\ \hline \square \end{array}$$ → □ $+3\,4\,5$ □ →

□ 안에 알맞은 수를 써넣으세요.

524 - 137 - 182 = ☐

$$
\begin{array}{r}
5\ 2\ 4 \\
-\ 1\ 3\ 7 \\
\hline
\boxed{}
\end{array}
\qquad
\begin{array}{r}
\boxed{} \\
-\ 1\ 8\ 2 \\
\hline
\boxed{}
\end{array}
$$

635 - 184 - 216 = ☐

$$
\begin{array}{r}
6\ 3\ 5 \\
-\ 1\ 8\ 4 \\
\hline
\boxed{}
\end{array}
\qquad
\begin{array}{r}
\boxed{} \\
-\ 2\ 1\ 6 \\
\hline
\boxed{}
\end{array}
$$

517 - 308 - 168 = ☐

$$
\begin{array}{r}
5\ 1\ 7 \\
-\ 3\ 0\ 8 \\
\hline
\boxed{}
\end{array}
\qquad
\begin{array}{r}
\boxed{} \\
-\ 1\ 6\ 8 \\
\hline
\boxed{}
\end{array}
$$

745 - 129 - 227 = ☐

$$
\begin{array}{r}
7\ 4\ 5 \\
-\ 1\ 2\ 9 \\
\hline
\boxed{}
\end{array}
\qquad
\begin{array}{r}
\boxed{} \\
-\ 2\ 2\ 7 \\
\hline
\boxed{}
\end{array}
$$

626 - 185 - 291 = ☐

$$
\begin{array}{r}
6\ 2\ 6 \\
-\ 1\ 8\ 5 \\
\hline
\boxed{}
\end{array}
\qquad
\begin{array}{r}
\boxed{} \\
-\ 2\ 9\ 1 \\
\hline
\boxed{}
\end{array}
$$

573 - 283 - 169 = ☐

$$
\begin{array}{r}
5\ 7\ 3 \\
-\ 2\ 8\ 3 \\
\hline
\boxed{}
\end{array}
\qquad
\begin{array}{r}
\boxed{} \\
-\ 1\ 6\ 9 \\
\hline
\boxed{}
\end{array}
$$

□ 안에 알맞은 수를 써넣으세요.

267 + 273 - 146 = ☐

```
  2 6 7  →  ☐
+ 2 7 3    - 1 4 6
─────
  ☐        ☐
```

386 + 226 - 173 = ☐

```
  3 8 6  →  ☐
+ 2 2 6    - 1 7 3
─────
  ☐        ☐
```

428 - 190 + 347 = ☐

```
  4 2 8  →  ☐
- 1 9 0    + 3 4 7
─────
  ☐        ☐
```

533 + 218 - 347 = ☐

```
  5 3 3  →  ☐
+ 2 1 8    - 3 4 7
─────
  ☐        ☐
```

556 - 282 + 268 = ☐

```
  5 5 6  →  ☐
- 2 8 2    + 2 6 8
─────
  ☐        ☐
```

428 - 356 + 477 = ☐

```
  4 2 8  →  ☐
- 3 5 6    + 4 7 7
─────
  ☐        ☐
```

□ 안에 알맞은 수를 써넣으세요.

356 + 168 - 189 = ☐

```
  3 5 6        ☐
+ 1 6 8    →  - 1 8 9
  ☐            ☐
```

441 - 147 + 266 = ☐

```
  4 4 1        ☐
- 1 4 7    →  + 2 6 6
  ☐            ☐
```

295 + 335 - 452 = ☐

```
  2 9 5        ☐
+ 3 3 5    →  - 4 5 2
  ☐            ☐
```

563 - 225 + 263 = ☐

```
  5 6 3        ☐
- 2 2 5    →  + 2 6 3
  ☐            ☐
```

429 + 147 - 287 = ☐

```
  4 2 9        ☐
+ 1 4 7    →  - 2 8 7
  ☐            ☐
```

634 - 439 + 191 = ☐

```
  6 3 4        ☐
- 4 3 9    →  + 1 9 1
  ☐            ☐
```

□ 구하기

빈칸에 알맞은 수를 써넣으세요.

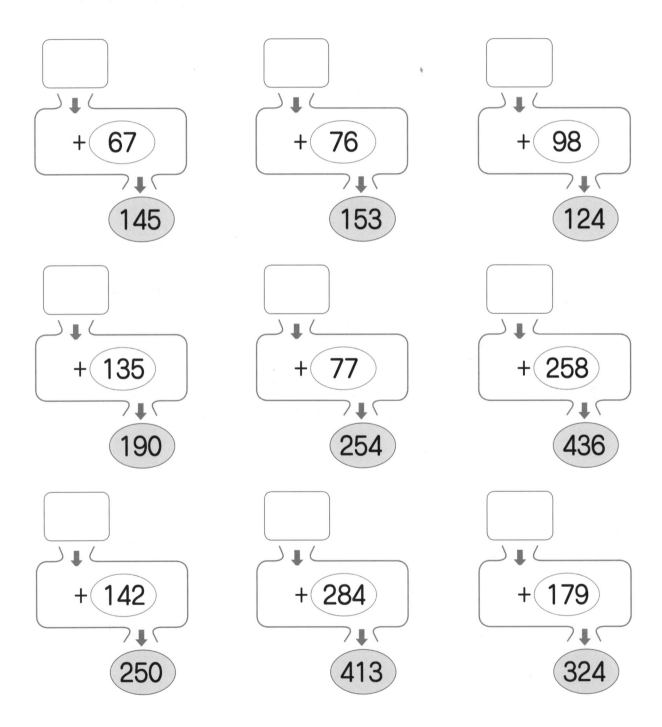

| + 67 → 145 | + 76 → 153 | + 98 → 124 |

| + 135 → 190 | + 77 → 254 | + 258 → 436 |

| + 142 → 250 | + 284 → 413 | + 179 → 324 |

빈칸에 알맞은 수를 써넣으세요.

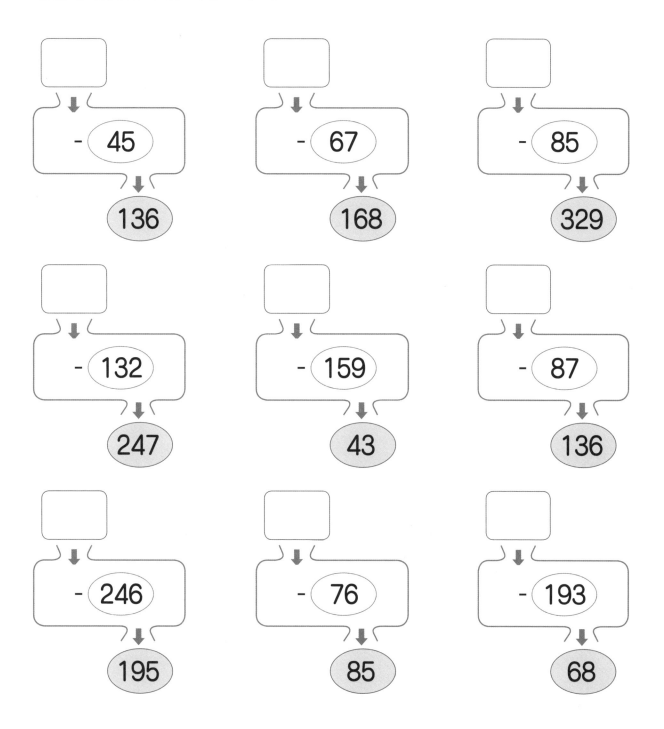

빈칸에 알맞은 수를 써넣으세요.

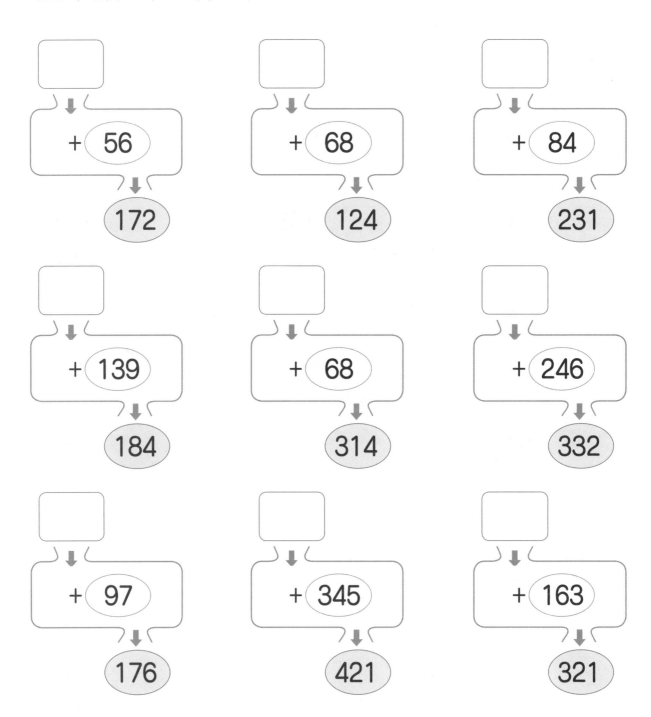

+ 56 → 172	+ 68 → 124	+ 84 → 231
+ 139 → 184	+ 68 → 314	+ 246 → 332
+ 97 → 176	+ 345 → 421	+ 163 → 321

빈칸에 알맞은 수를 써넣으세요.

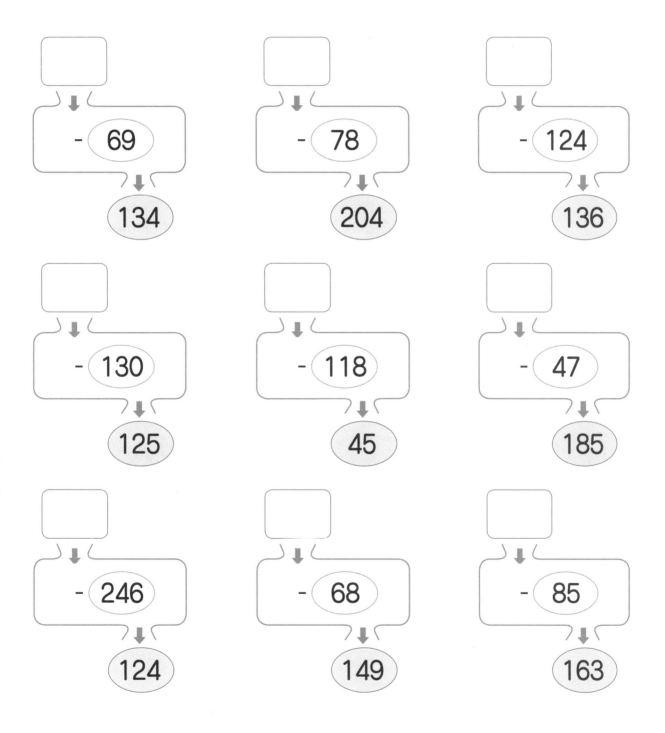

마방진과 벌레 먹은 셈

한 줄에 있는 세 수의 합이 ✿ 안의 수가 되도록 빈칸에 알맞은 수를 써넣으세요.

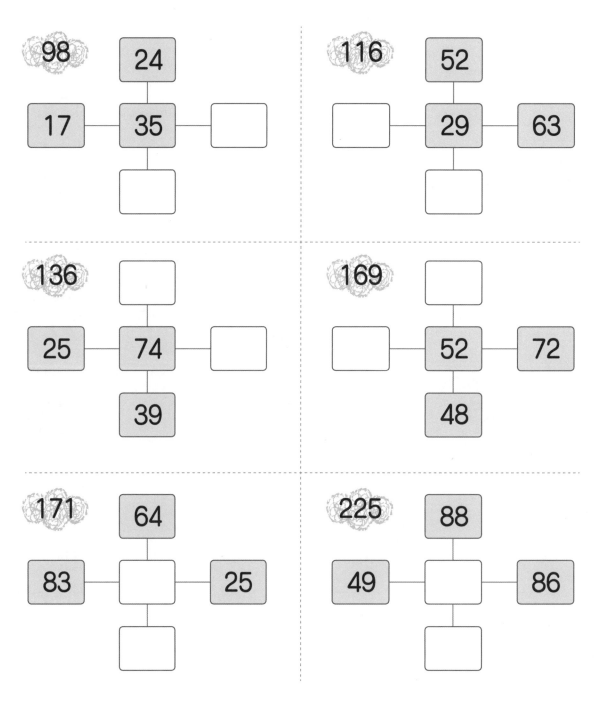

한 줄에 있는 세 수의 합이 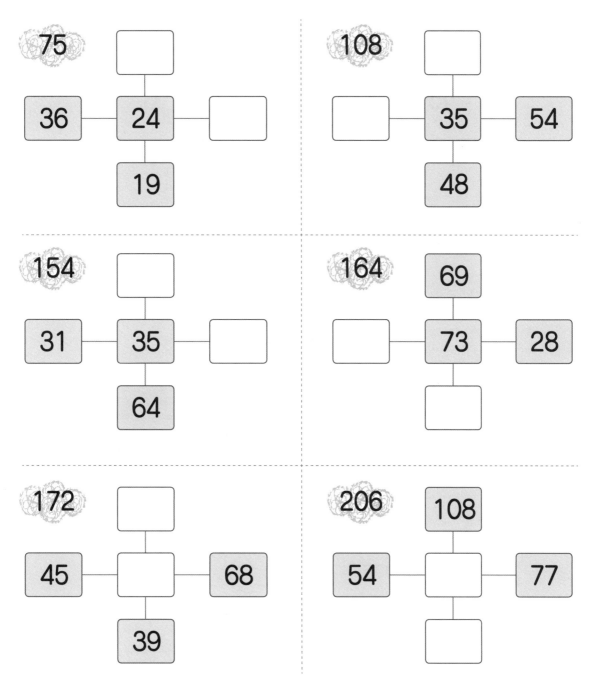 안의 수가 되도록 빈칸에 알맞은 수를 써넣으세요.

한 줄에 있는 세 수의 합이 ⬡ 안의 수가 되도록 빈칸에 알맞은 수를 써넣으세요.

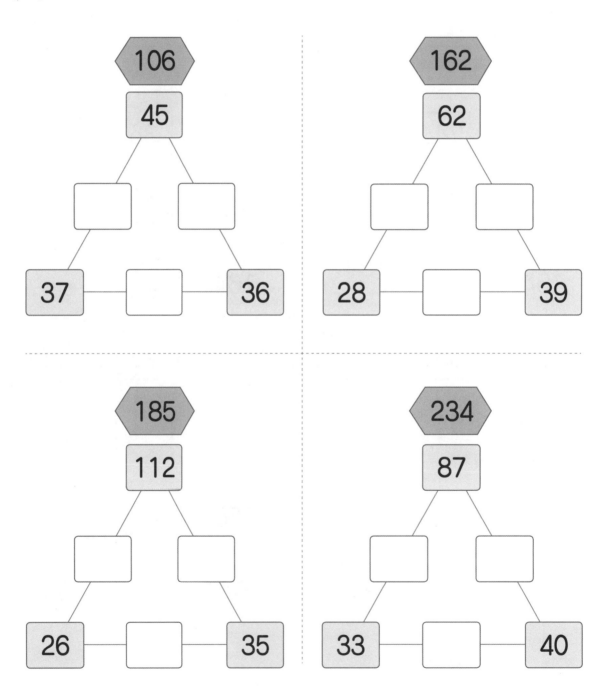

소마셈 – B4

한 줄에 있는 세 수의 합이 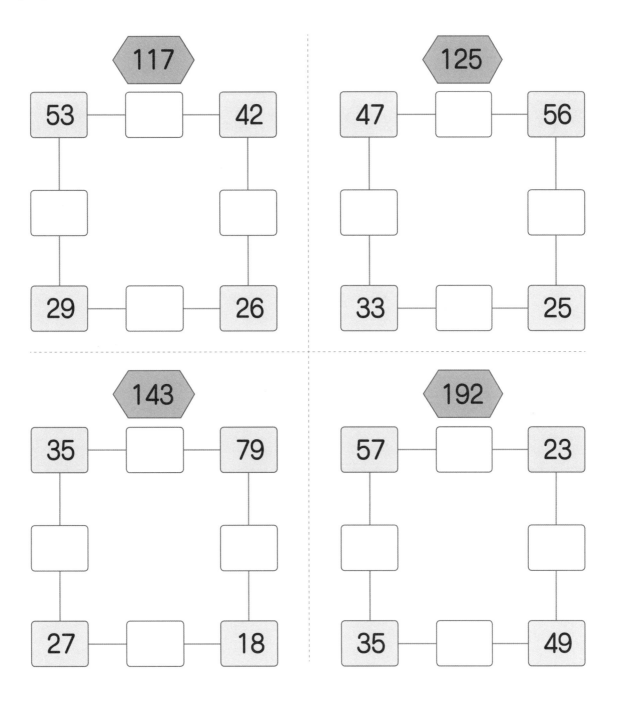 안의 수가 되도록 빈칸에 알맞은 수를 써넣으세요.

소마의 마술같은 원리셈

정답

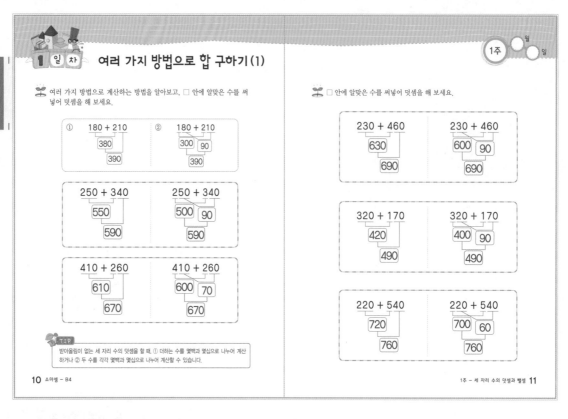

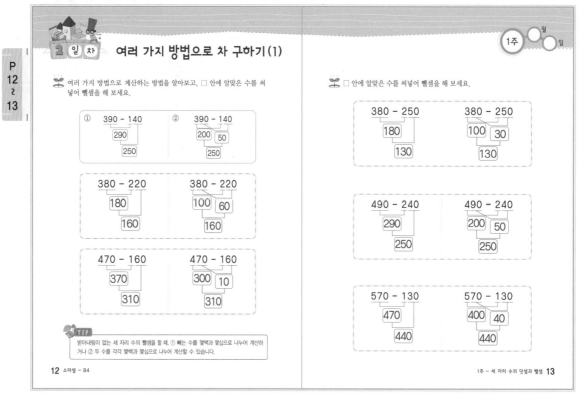

3일차 여러 가지 방법으로 합 구하기(2)

여러 가지 방법으로 계산하는 방법을 알아보고, □ 안에 알맞은 수를 써 넣어 덧셈을 해 보세요.

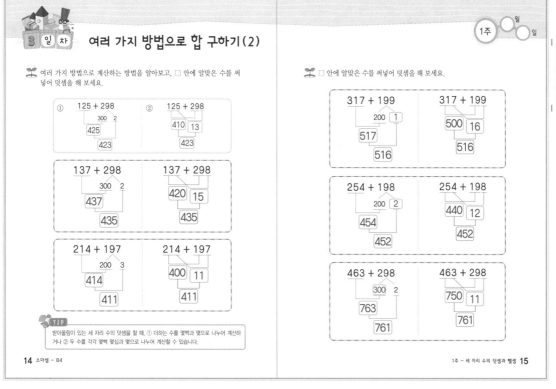

① 125 + 298 → 300, 2 → 425 → 423
② 125 + 298 → 410, 13 → 423

137 + 298 → 300, 2 → 437 → 435
137 + 298 → 420, 15 → 435

214 + 197 → 200, 3 → 414 → 411
214 + 197 → 400, 11 → 411

TIP 받아올림이 있는 세 자리 수의 덧셈을 할 때, ① 더하는 수를 몇백과 몇으로 나누어 계산하거나 ② 두 수를 각각 몇백 몇십과 몇으로 나누어 계산할 수 있습니다.

14 소마셈 – B4

□ 안에 알맞은 수를 써넣어 덧셈을 해 보세요.

317 + 199 → 200, 1 → 517 → 516
317 + 199 → 500, 16 → 516

254 + 198 → 200, 2 → 454 → 452
254 + 198 → 440, 12 → 452

463 + 298 → 300, 2 → 763 → 761
463 + 298 → 750, 11 → 761

1주 - 세 자리 수의 덧셈과 뺄셈 15

P 14 ~ 15

4일차 여러 가지 방법으로 차 구하기(2)

여러 가지 방법으로 계산하는 방법을 알아보고, □ 안에 알맞은 수를 써 넣어 뺄셈을 해 보세요.

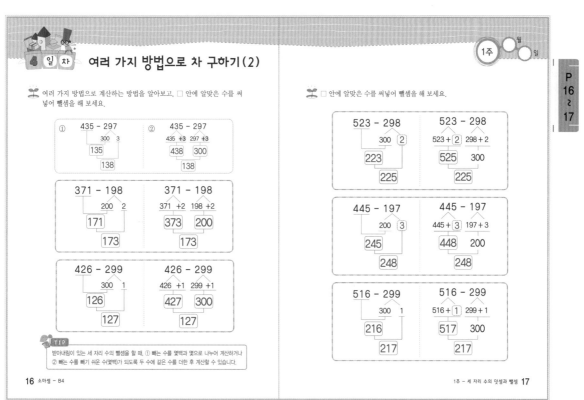

① 435 − 297 → 300, 3 → 135 → 138
② 435 − 297 → 435 +3, 297 +3 → 438, 300 → 138

371 − 198 → 200, 2 → 171 → 173
371 − 198 → 371 +2, 198 +2 → 373, 200 → 173

426 − 299 → 300, 1 → 126 → 127
426 − 299 → 426 +1, 299 +1 → 427, 300 → 127

TIP 받아내림이 있는 세 자리 수의 뺄셈을 할 때, ① 빼는 수를 몇백과 몇으로 나누어 계산하거나 ② 빼는 수를 빼기 쉬운 수(몇백)가 되도록 두 수에 같은 수를 더한 후 계산할 수 있습니다.

16 소마셈 – B4

□ 안에 알맞은 수를 써넣어 뺄셈을 해 보세요.

523 − 298 → 300, 2 → 223 → 225
523 − 298 → 523 + 2, 298 + 2 → 525, 300 → 225

445 − 197 → 200, 3 → 245 → 248
445 − 197 → 445 + 3, 197 + 3 → 448, 200 → 248

516 − 299 → 300, 1 → 216 → 217
516 − 299 → 516 + 1, 299 + 1 → 517, 300 → 217

1주 - 세 자리 수의 덧셈과 뺄셈 17

P 16 ~ 17

정답

5 일차   덧셈, 뺄셈 퍼즐

1주

🌱 빈칸에 알맞은 수를 써넣으세요.

170   427
257   170 + 257 = 427

260   406
146

187   351
164

175   515
340

265   463
198

398   628
230

18 소마셈 – B4

🌱 빈칸에 알맞은 수를 써넣으세요.

267   68
199   267 – 199 = 68

259   62
197

345   185
160

240   60
180

428   251
177

326   168
158

1주 – 세 자리 수의 덧셈과 뺄셈 19

🌱 올바른 계산 결과가 되도록 선으로 이어 보세요.

1주

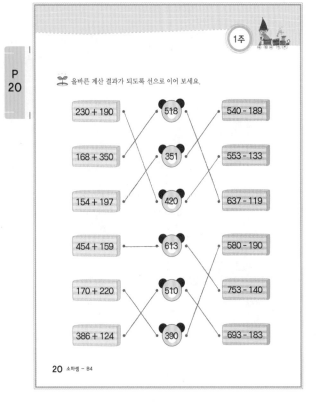

230 + 190   518   540 - 189
168 + 350   351   553 - 133
154 + 197   420   637 - 119
454 + 159   613   580 - 190
170 + 220   510   753 - 140
386 + 124   390   693 - 183

20 소마셈 – B4

1 일 차 세 수의 덧셈

□ 안에 알맞은 수를 써넣어 차례로 계산하세요.

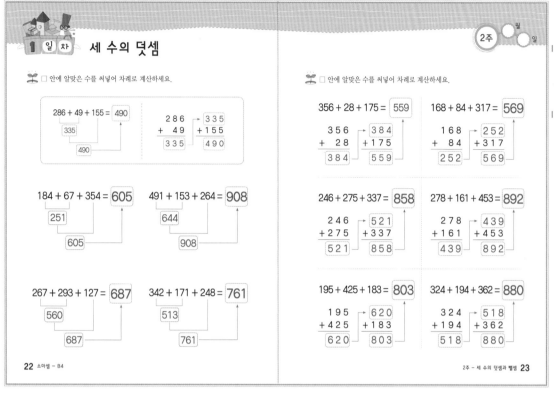

286 + 49 + 155 = 490
335
490

286
+ 49
335
→ 335
+155
490

184 + 67 + 354 = **605**
251
605

491 + 153 + 264 = **908**
644
908

267 + 293 + 127 = **687**
560
687

342 + 171 + 248 = **761**
513
761

□ 안에 알맞은 수를 써넣어 차례로 계산하세요.

356 + 28 + 175 = 559
356
+ 28
384
→ 384
+175
559

168 + 84 + 317 = 569
168
+ 84
252
→ 252
+317
569

246 + 275 + 337 = 858
246
+275
521
→ 521
+337
858

278 + 161 + 453 = 892
278
+161
439
→ 439
+453
892

195 + 425 + 183 = 803
195
+425
620
→ 620
+183
803

324 + 194 + 362 = 880
324
+194
518
→ 518
+362
880

2 일 차 세 수의 뺄셈

□ 안에 알맞은 수를 써넣어 차례로 계산하세요.

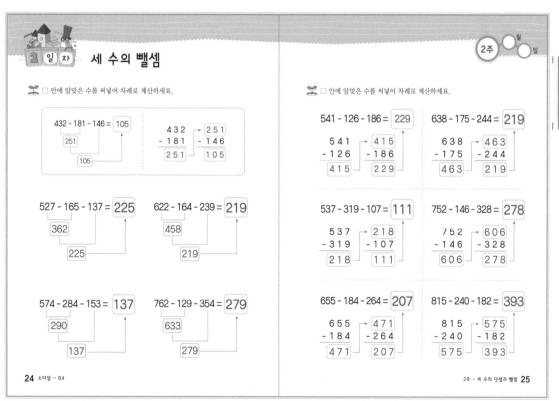

432 - 181 - 146 = 105
251
105

432
- 181
251
→ 251
- 146
105

527 - 165 - 137 = **225**
362
225

622 - 164 - 239 = **219**
458
219

574 - 284 - 153 = **137**
290
137

762 - 129 - 354 = **279**
633
279

□ 안에 알맞은 수를 써넣어 차례로 계산하세요.

541 - 126 - 186 = 229
541
- 126
415
→ 415
- 186
229

638 - 175 - 244 = 219
638
- 175
463
→ 463
- 244
219

537 - 319 - 107 = 111
537
- 319
218
→ 218
- 107
111

752 - 146 - 328 = 278
752
- 146
606
→ 606
- 328
278

655 - 184 - 264 = 207
655
- 184
471
→ 471
- 264
207

815 - 240 - 182 = 393
815
- 240
575
→ 575
- 182
393

정답

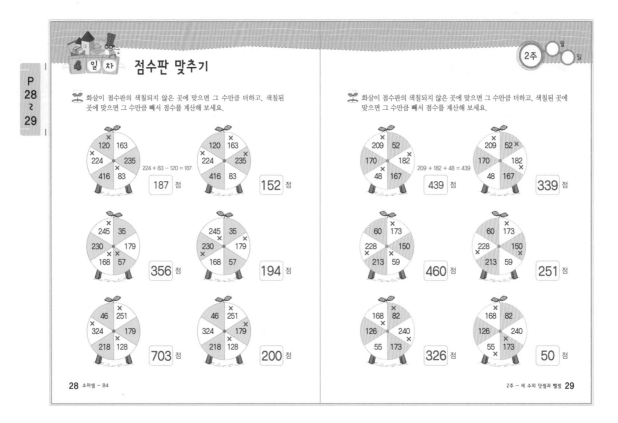

3 일차 세 수의 덧셈과 뺄셈

2주 일 일

☘ □ 안에 알맞은 수를 써넣으세요.

+175 −168
316 491 323

+276 −192
281 557 365

−148 +254
557 409 663

−332 +165
625 293 458

+155 −197
354 509 312

+187 −223
466 653 430

+184 −323
632 816 493

−231 +364
517 286 650

☘ □ 안에 알맞은 수를 써넣어 차례로 계산하세요.

235 + 284 − 167 = 352

```
  2 3 5      5 1 9
+ 2 8 4   → − 1 6 7
  5 1 9      3 5 2
```

448 + 183 − 186 = 445

```
  4 4 8      6 3 1
+ 1 8 3   → − 1 8 6
  6 3 1      4 4 5
```

422 − 172 + 359 = 609

```
  4 2 2      2 5 0
− 1 7 2   → + 3 5 9
  2 5 0      6 0 9
```

516 + 246 − 309 = 453

```
  5 1 6      7 6 2
+ 2 4 6   → − 3 0 9
  7 6 2      4 5 3
```

715 − 240 + 274 = 749

```
  7 1 5      4 7 5
− 2 4 0   → + 2 7 4
  4 7 5      7 4 9
```

643 − 448 + 372 = 567

```
  6 4 3      1 9 5
− 4 4 8   → + 3 7 2
  1 9 5      5 6 7
```

26 소마셈 − B4

2주 − 세 수의 덧셈과 뺄셈 27

4 일차 점수판 맞추기

2주 일 일

☘ 화살이 점수판의 색칠되지 않은 곳에 맞으면 그 수만큼 더하고, 색칠된 곳에 맞으면 그 수만큼 빼서 점수를 계산해 보세요.

120 163
224 235
416 83
224 + 83 − 120 = 187
187 점

120 163
224 235
416 83
152 점

245 35
230 179
168 57
356 점

245 35
230 179
168 57
194 점

46 251
324 179
218 128
703 점

46 251
324 179
218 128
200 점

☘ 화살이 점수판의 색칠되지 않은 곳에 맞으면 그 수만큼 더하고, 색칠된 곳에 맞으면 그 수만큼 빼서 점수를 계산해 보세요.

209 52
170 182
48 167
209 + 182 + 48 = 439
439 점

209 52
170 182
48 167
339 점

60 173
228 150
213 59
460 점

60 173
228 150
213 59
251 점

168 82
126 240
55 173
326 점

168 82
126 240
55 173
50 점

28 소마셈 − B4

2주 − 세 수의 덧셈과 뺄셈 29

5 일 차 문장제

🌱 이야기를 읽고, 유람선에 타고 있는 사람은 몇 명인지 구하세요.

채영이는 가족들과 유람선을 타러 갔습니다. 책에서만 보았던 유람선을 실제로 타보게 되어 기대를 안고 유람선을 탔습니다. 유람선 안에는 승객이 314명 타고 있었습니다. 유람선이 출발하고 넓은 바다를 감상하다 보니 첫 번째 선착장에 도착했습니다. 선착장에서는 127명이 내리고 또 다른 승객 192명이 더 탔습니다.
지금 유람선에 타고 있는 사람은 몇 명일까요?

식 : 314 - 127 + 192 = 379

379 명

🌱 다음을 읽고 알맞은 식을 쓰고, 답을 구하세요.

산에 밤나무가 286그루, 도토리나무가 119그루 있습니다. 소나무를 357그루 더 심었다면 산에 있는 나무는 모두 몇 그루일까요?

식 : 286+119+357=762   **762** 그루

창현이는 438쪽짜리 책을 지난주에 178쪽 읽었고, 이번 주에 138쪽 읽었습니다. 창현이는 몇 쪽을 더 읽으면 책을 다 읽게 될까요?

식 : 438-178-138=122   **122** 쪽

🌱 다음을 읽고 알맞은 식을 쓰고, 답을 구하세요.

과수원에 감나무가 332그루, 배나무가 198그루, 사과나무가 274그루 있습니다. 과수원에 있는 나무는 모두 몇 그루일까요?

식 : 332+198+274=804   **804** 그루

기차에 484명이 타고 있습니다. 첫 번째 역에서 256명이 내리고, 두 번째 역에서 148명이 탔습니다. 지금 기차에 타고 있는 사람은 몇 명일까요?

식 : 484-256+148=376   **376** 명

과일가게에 사과가 326개 있습니다. 그 중 149개는 팔고, 70개는 썩어서 버렸습니다. 남은 사과는 몇 개일까요?

식 : 326-149-70=107   **107** 개

🌱 다음을 읽고 알맞은 식을 쓰고, 답을 구하세요.

650명이 입장할 수 있는 동물원에 남자가 137명, 여자가 242명 있습니다. 앞으로 몇 명 더 입장할 수 있을까요?

식 : 650-137-242=271   **271** 명

성규는 구슬을 283개 가지고 있습니다. 형은 성규보다 170개를 더 가지고 있고, 동생은 형보다 255개를 더 가지고 있습니다. 동생이 가진 구슬은 몇 개일까요?

식 : 283+170+255=708   **708** 개

문구점에 연필이 426자루 있었습니다. 오늘 178자루를 더 들여 놓고, 318자루를 팔았습니다. 문구점에 남아 있는 연필은 몇 자루일까요?

식 : 426+178-318=286   **286** 자루

정답

1 일 차 빈칸 채우기

🌱 두 수의 합은 ◯ 안에, 두 수의 차는 ⬡ 안에 써넣으세요.

86	36	→ ⟨122⟩
67	49	→ ⟨18⟩

86+36=122
67-49=18

⟨19⟩ ⟨85⟩

86-67=19 36+49=85

93	75	⟨168⟩
58	39	⟨19⟩

⟨35⟩ ⟨114⟩

90	38	⟨128⟩
32	116	⟨148⟩

⟨58⟩ ⟨154⟩

125	44	⟨169⟩
83	27	⟨56⟩

⟨42⟩ ⟨71⟩

73	156	⟨229⟩
55	18	⟨37⟩

⟨18⟩ ⟨174⟩

88	36	⟨124⟩
40	132	⟨172⟩

⟨48⟩ ⟨168⟩

🌱 두 수의 합은 ◯ 안에, 두 수의 차는 ⬡ 안에 써넣으세요.

118	83	⟨201⟩
47	29	⟨76⟩

⟨71⟩ ⟨54⟩

143	76	⟨219⟩
50	44	⟨94⟩

⟨93⟩ ⟨32⟩

97	44	⟨141⟩
28	56	⟨84⟩

⟨69⟩ ⟨100⟩

236	65	⟨301⟩
94	48	⟨142⟩

⟨142⟩ ⟨113⟩

82	153	⟨235⟩
65	36	⟨29⟩

⟨17⟩ ⟨189⟩

91	174	⟨265⟩
77	48	⟨29⟩

⟨14⟩ ⟨222⟩

3주

36 소마셈 - B4

3주 - □구하기 **37**

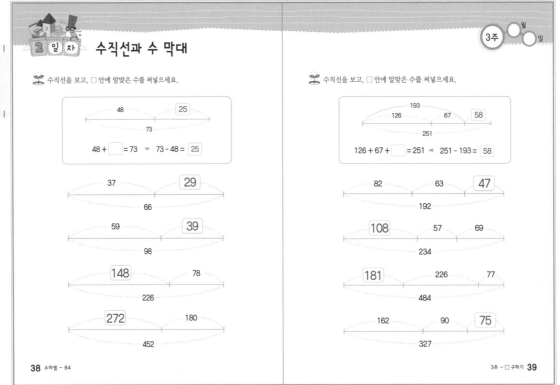

2 일 차 수직선과 수 막대

🌱 수직선을 보고, □ 안에 알맞은 수를 써넣으세요.

48   25
73

48 + ☐ = 73 ➡ 73 - 48 = 25

37   29
66

59   39
98

148   78
226

272   180
452

🌱 수직선을 보고, □ 안에 알맞은 수를 써넣으세요.

193
126   67   58
251

126 + 67 + ☐ = 251 ➡ 251 - 193 = 58

82   63   47
192

108   57   69
234

181   226   77
484

162   90   75
327

3주

38 소마셈 - B4

3주 - □구하기 **39**

90 소마셈 - B4

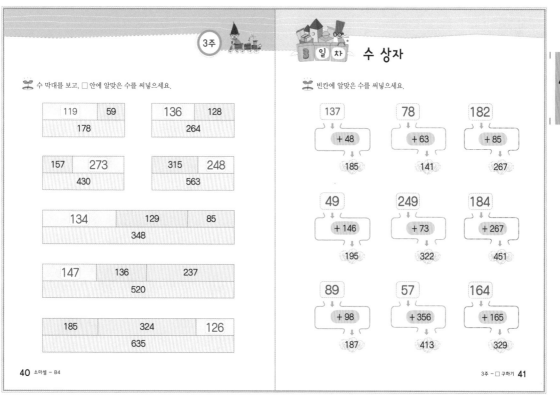

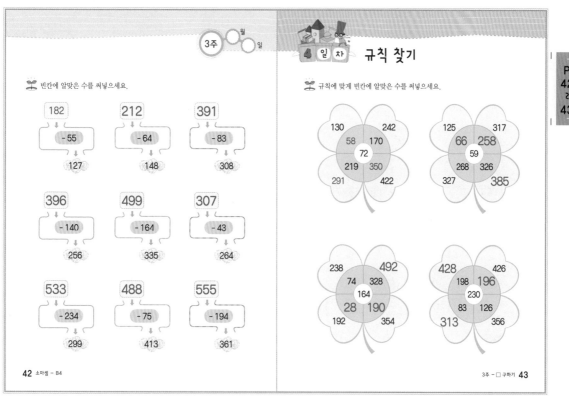

40 소마셈 – B4

3주 –□구하기 **41**

42 소마셈 – B4

3주 –□구하기 **43**

정답 **91**

P 44 ~ 45

신나는 연산!

규칙에 맞게 빈칸에 알맞은 수를 써넣으세요.

396   415
318 337
78
89   274
167   352

262   427
198 363
64
364 259
428   323

237   420
84 267
153
69 185
222   338

280   544
105 369
175
244 263
419   438

44 소마셈 - B4

규칙에 맞게 빈칸에 알맞은 수를 써넣으세요.

72 87 48 120
159   168
327

138 54 274 65
192   339
531

85 234 291 56
319   347
666

204 57 83 83
261   166
427

3주 - □ 구하기 45

P 46 ~ 47

5 일 차   □가 있는 식 만들기

다음을 읽고 □를 사용하여 식을 만들고, 어떤 수를 구하세요.

240에 어떤 수를 더했더니 570이 되었습니다. 어떤 수는 얼마일까요?

식 : 240 + □ = 570   330

어떤 수에 453을 더했더니 724가 되었습니다. 어떤 수는 얼마일까요?

식 : □+453=724   271

374와 어떤 수의 합은 552입니다. 어떤 수는 얼마일까요?

식 : 374+□=552   178

TIP
어떤 수를 □로 놓고 식을 만듭니다.

46 소마셈 - B4

다음을 읽고 □를 사용하여 식을 만들고, 어떤 수를 구하세요.

843에서 어떤 수를 뺐더니 620이 되었습니다. 어떤 수는 얼마일까요?

식 : 843 - □ = 620   223

어떤 수에서 257을 뺐더니 142가 되었습니다. 어떤 수는 얼마일까요?

식 : □-257=142   399

643보다 어떤 수만큼 작은 수는 218입니다. 어떤 수는 얼마일까요?

식 : 643-□=218   425

3주 - □ 구하기 47

신나는 연산!

🌱 다음을 읽고 □ 를 사용하여 식을 만들고, 어떤 수를 구하세요.

어떤 수보다 235 큰 수는 729입니다. 어떤 수는 얼마일까요?

식 : □+235=729   **494**

어떤 수보다 435 작은 수는 70입니다. 어떤 수는 얼마일까요?

식 : □-435=70   **505**

어떤 수는 368보다 51만큼 큽니다. 어떤 수는 얼마일까요?

식 : 368+51=□   **419**

🌱 다음을 읽고 □ 를 사용하여 식을 만들고, 어떤 수를 구하세요.

어떤 수에 296을 더했더니 633이 되었습니다. 어떤 수는 얼마일까요?

식 : □+296=633   **337**

554보다 어떤 수만큼 작은 수는 269입니다. 어떤 수는 얼마일까요?

식 : 554-□=269   **285**

어떤 수에서 168을 뺐더니 157이 되었습니다. 어떤 수는 얼마일까요?

식 : □-168=157   **325**

1 일차   십자 마방진

🌱 한 줄에 있는 세 수의 합이 🔵 안의 수가 되도록 빈칸에 알맞은 수를 써넣으세요.

87
29
18 37 32   18+37+32=87
21   29+37+21=87

117
51
27 19 71
47

143
47
26 35 82
61

175
106
91 46 38
23

160
57
48 56 56
47

231
119
56 91 84
21

🌱 한 줄에 있는 세 수의 합이 같도록 빈칸에 알맞은 수를 써넣으세요.

18
16 34 41   16+34+41=91
39   18+34+39=91

34
51 46 28
45

42
105 39 3
66

29
33 45 47
51

27
105 38 46
124

119
132 92 29
42

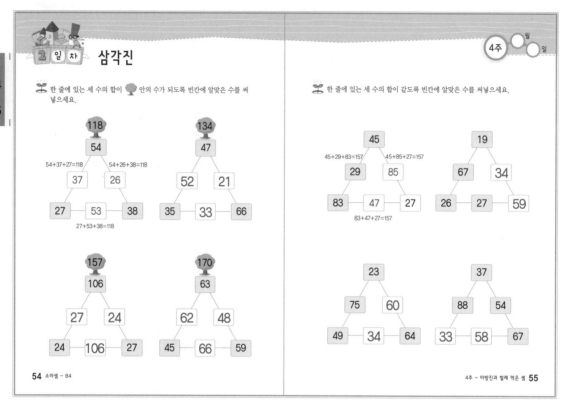

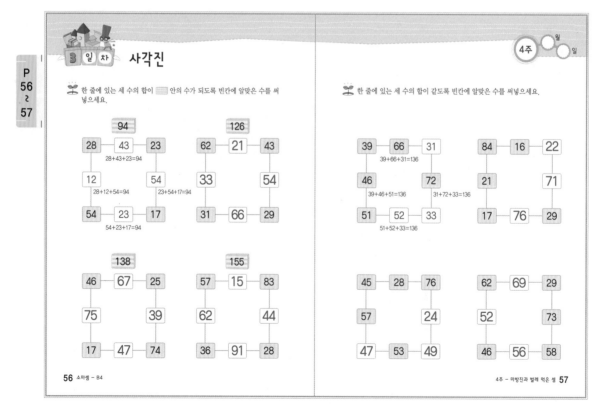

P
54
~
55

2 일차 삼각진

4주 일 일

🌱 한 줄에 있는 세 수의 합이 🍄 안의 수가 되도록 빈칸에 알맞은 수를 써넣으세요.

118
54
54+37+27=118 54+26+38=118
37 26
27 53 38
27+53+38=118

134
47
52 21
35 33 66

157
106
27 24
24 106 27

170
63
62 48
45 66 59

🌱 한 줄에 있는 세 수의 합이 같도록 빈칸에 알맞은 수를 써넣으세요.

45
45+29+83=157 45+85+27=157
29 85
83 47 27
83+47+27=157

19
67 34
26 27 59

23
75 60
49 34 64

37
88 54
33 58 67

P
56
~
57

3 일차 사각진

4주 일 일

🌱 한 줄에 있는 세 수의 합이 ▭ 안의 수가 되도록 빈칸에 써넣으세요.

94
28 43 23
28+43+23=94
12 54
28+12+54=94 23+54+17=94
54 23 17
54+23+17=94

126
62 21 43
33 54
31 66 29

138
46 67 25
75 39
17 47 74

155
57 15 83
62 44
36 91 28

🌱 한 줄에 있는 세 수의 합이 같도록 빈칸에 알맞은 수를 써넣으세요.

39 66 31
39+66+31=136
46 72
39+46+51=136 31+72+33=136
51 52 33
51+52+33=136

84 16 22
21 71
17 76 29

45 28 76
57 24
47 53 49

62 69 29
52 73
46 56 58

P 58 ~ 59

4일차 여러 가지 마방진

🌱 한 줄에 있는 세 수의 합이 ▨ 안의 수가 되도록 빈칸에 알맞은 수를 써넣으세요.

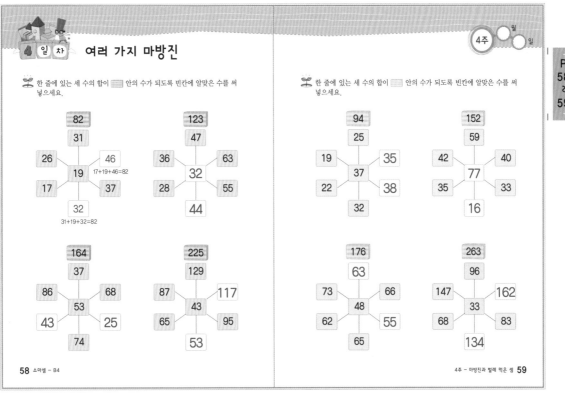

🌱 한 줄에 있는 세 수의 합이 ▨ 안의 수가 되도록 빈칸에 알맞은 수를 써넣으세요.

P 60 ~ 61

4주

🌱 한 줄에 있는 세 수의 합이 같도록 빈칸에 알맞은 수를 써넣으세요.

5일차 벌레 먹은 셈

🌱 빈칸에 알맞은 숫자를 써넣으세요.

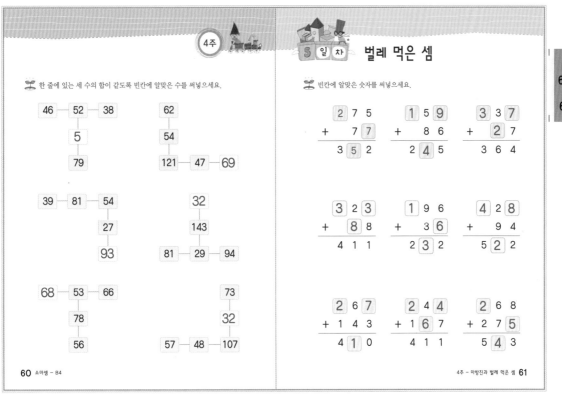

신나는 연산!

4주

빈칸에 알맞은 숫자를 써넣으세요.

```
  3 [8] 2          [2] 5 1          3 [7] 4
-   1 5          -   1 6          -   [2] 9
  3 6 [7]          2 3 [5]          3 4 [5]
```

```
  [2] 6 [1]          [3] 8 [1]          [4] 6 4
-     3 8          -   [5] 7          -     2 6
  2 [2] 3          3 2 4            4 3 [8]
```

```
  [3] 8 2          3 [9] 5          [6] 2 3
-   1 [3] 7        -   1 2 6        -   2 4 9
  2 4 [5]          [2] 6 9          3 7 [4]
```

빈칸에 알맞은 숫자를 써넣으세요.

```
  4 6 9            1 9 [3]            2 3 [7]
+ [2] 3 3          + [2] 9 5          + [3] [7] 6
  7 [0] 2          4 [8] 8            6 1 3
```

```
  [5] 9 4          [6] 5 [8]          [6] 8 [2]
- 1 3 7            - 2 7 5            - 1 [5] 8
  4 5 [7]          3 [8] 3            5 2 4
```

```
  [2] 8 4          [3] 6 6            4 8 [6]
+ 1 5 [8]          + 2 [8] 5          + [1] 4 6
  4 [4] 2          6 5 [1]            6 [3] 2
```

1주차

세 자리 수의
덧셈과 뺄셈

□ 안에 알맞은 수를 써넣으세요.

```
┌─────────────┐  ┌─────────────┐
│  260 + 320  │  │  260 + 320  │
│   ┌560┐     │  │  ┌500┐ ┌80┐ │
│    580      │  │    580      │
└─────────────┘  └─────────────┘

┌─────────────┐  ┌─────────────┐
│  350 + 340  │  │  350 + 340  │
│   ┌650┐     │  │  ┌600┐ ┌90┐ │
│    690      │  │    690      │
└─────────────┘  └─────────────┘

┌─────────────┐  ┌─────────────┐
│  530 + 160  │  │  530 + 160  │
│   ┌630┐     │  │  ┌600┐ ┌90┐ │
│    690      │  │    690      │
└─────────────┘  └─────────────┘
```

□ 안에 알맞은 수를 써넣으세요.

```
┌─────────────┐  ┌─────────────┐
│  390 - 160  │  │  390 - 160  │
│   ┌290┐     │  │  ┌200┐ ┌30┐ │
│    230      │  │    230      │
└─────────────┘  └─────────────┘

┌─────────────┐  ┌─────────────┐
│  470 - 230  │  │  470 - 230  │
│   ┌270┐     │  │  ┌200┐ ┌40┐ │
│    240      │  │    240      │
└─────────────┘  └─────────────┘

┌─────────────┐  ┌─────────────┐
│  580 - 140  │  │  580 - 140  │
│   ┌480┐     │  │  ┌400┐ ┌40┐ │
│    440      │  │    440      │
└─────────────┘  └─────────────┘
```

1주차

P 68 ~ 69

□ 안에 알맞은 수를 써넣으세요.

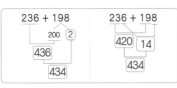

236 + 198
200 [2]
436
434

236 + 198
420 14
434

327 + 197
200 [3]
527
524

327 + 197
510 14
524

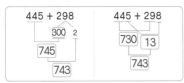

445 + 298
300 2
745
743

445 + 298
730 13
743

□ 안에 알맞은 수를 써넣으세요.

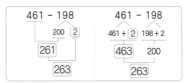

461 - 198
200 [2]
261
263

461 - 198
461 + [2] 198 + 2
463 200
263

434 - 199
200 [1]
234
235

434 - 199
434 + [1] 199 + 1
435 200
235

527 - 298
300 2
227
229

527 - 298
527 + [2] 298 + 2
529 300
229

68 소마셈 – B4

Drill – 보충학습 69

2주차   세 수의 덧셈과 뺄셈

P 70 ~ 71

□ 안에 알맞은 수를 써넣으세요.

168 + 45 + 273 = 486

168
+ 45
213 → 213
+273
486

286 + 62 + 334 = 682

286
+ 62
348 → 348
+334
682

234 + 229 + 316 = 779

234
+229
463 → 463
+316
779

274 + 157 + 409 = 840

274
+157
431 → 431
+409
840

156 + 336 + 182 = 674

156
+336
492 → 492
+182
674

308 + 167 + 345 = 820

308
+167
475 → 475
+345
820

□ 안에 알맞은 수를 써넣으세요.

524 - 137 - 182 = 205

524
-137
387 → 387
-182
205

635 - 184 - 216 = 235

635
-184
451 → 451
-216
235

517 - 308 - 168 = 41

517
-308
209 → 209
-168
41

745 - 129 - 227 = 389

745
-129
616 → 616
-227
389

626 - 185 - 291 = 150

626
-185
441 → 441
-291
150

573 - 283 - 169 = 121

573
-283
290 → 290
-169
121

70 소마셈 – B4

Drill – 보충학습 71

2주차 drill

P 72 ~ 73

□ 안에 알맞은 수를 써넣으세요.

267 + 273 - 146 = 394

```
  2 6 7      → 5 4 0
+ 2 7 3      - 1 4 6
  5 4 0        3 9 4
```

386 + 226 - 173 = 439

```
  3 8 6      → 6 1 2
+ 2 2 6      - 1 7 3
  6 1 2        4 3 9
```

428 - 190 + 347 = 585

```
  4 2 8      → 2 3 8
- 1 9 0      + 3 4 7
  2 3 8        5 8 5
```

533 + 218 - 347 = 404

```
  5 3 3      → 7 5 1
+ 2 1 8      - 3 4 7
  7 5 1        4 0 4
```

556 - 282 + 268 = 542

```
  5 5 6      → 2 7 4
- 2 8 2      + 2 6 8
  2 7 4        5 4 2
```

428 - 356 + 477 = 549

```
  4 2 8      →   7 2
- 3 5 6      + 4 7 7
    7 2        5 4 9
```

□ 안에 알맞은 수를 써넣으세요.

356 + 168 - 189 = 335

```
  3 5 6      → 5 2 4
+ 1 6 8      - 1 8 9
  5 2 4        3 3 5
```

441 - 147 + 266 = 560

```
  4 4 1      → 2 9 4
- 1 4 7      + 2 6 6
  2 9 4        5 6 0
```

295 + 335 - 452 = 178

```
  2 9 5      → 6 3 0
+ 3 3 5      - 4 5 2
  6 3 0        1 7 8
```

563 - 225 + 263 = 601

```
  5 6 3      → 3 3 8
- 2 2 5      + 2 6 3
  3 3 8        6 0 1
```

429 + 147 - 287 = 289

```
  4 2 9      → 5 7 6
+ 1 4 7      - 2 8 7
  5 7 6        2 8 9
```

634 - 439 + 191 = 386

```
  6 3 4      → 1 9 5
- 4 3 9      + 1 9 1
  1 9 5        3 8 6
```

3주차 drill

□ 구하기

P 74 ~ 75

빈칸에 알맞은 수를 써넣으세요.

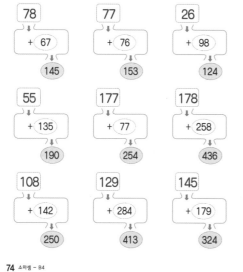

빈칸에 알맞은 수를 써넣으세요.

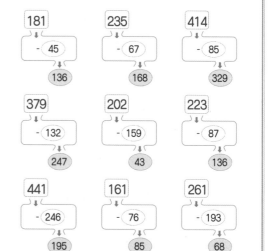

3주차

빈칸에 알맞은 수를 써넣으세요.

빈칸에 알맞은 수를 써넣으세요.

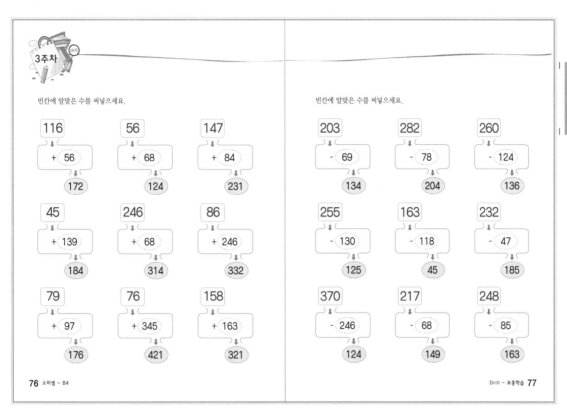

4주차 마방진과 벌레 먹은 셈

한 줄에 있는 세 수의 합이 🌸 안의 수가 되도록 빈칸에 알맞은 수를 써넣으세요.

한 줄에 있는 세 수의 합이 🌸 안의 수가 되도록 빈칸에 알맞은 수를 써넣으세요.

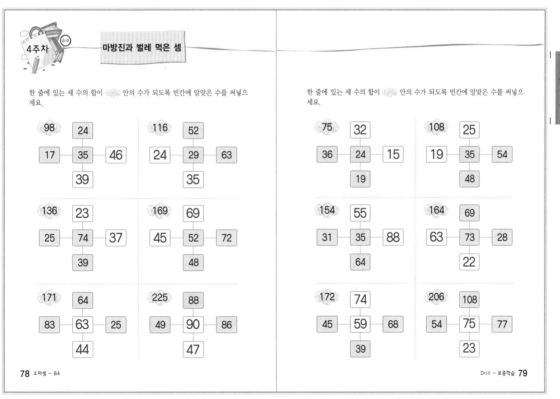

정답 **99**

P
80
~
81

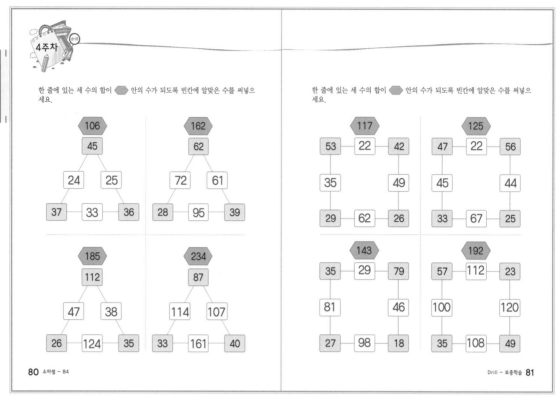

한 줄에 있는 세 수의 합이 ⬡ 안의 수가 되도록 빈칸에 알맞은 수를 써넣으세요.

106
45
24 | 25
37 | 33 | 36

162
62
72 | 61
28 | 95 | 39

185
112
47 | 38
26 | 124 | 35

234
87
114 | 107
33 | 161 | 40

한 줄에 있는 세 수의 합이 ⬡ 안의 수가 되도록 빈칸에 알맞은 수를 써넣으세요.

117
53 | 22 | 42
35 | | 49
29 | 62 | 26

125
47 | 22 | 56
45 | | 44
33 | 67 | 25

143
35 | 29 | 79
81 | | 46
27 | 98 | 18

192
57 | 112 | 23
100 | | 120
35 | 108 | 49

Note